何建明文集

卷二十四

我们可以称他为伟人

何建明 著

新世界出版社
NEW WORLD PRESS

图书在版编目（CIP）数据

我们可以称他为伟人 / 何建明著. -- 北京 : 新世界出版社, 2018.3

（何建明文集 ; 24）

ISBN 978-7-5104-6367-9

Ⅰ. ①我… Ⅱ. ①何… Ⅲ. ①报告文学—中国—当代 Ⅳ. ①I25

中国版本图书馆CIP数据核字(2017)第197482号

我们可以称他为伟人

作　　者：何建明
特邀丛书编辑：韩小群
责任编辑：房　阳
责任校对：宣　慧
责任印制：王宝根　苏爱玲
出版发行：新世界出版社
社　　址：北京西城区百万庄大街 24 号（100037）
发 行 部：（010）6899 5968　（010）6899 8705（传真）
总 编 室：（010）6899 5424　（010）6832 6679（传真）
http://www.nwp.cn
http://www.nwp.com.cn
版 权 部：+8610 6899 6306
版权部电子信箱：nwpcd@sina.com
印　　刷：北京京华虎彩印刷有限公司
经　　销：新华书店
开　　本：710mm × 1000mm　1/16
字　　数：150 千字　　印　　张：12
版　　次：2018 年 3 月第 1 版　2018 年 3 月第 1 次印刷
书　　号：ISBN 978-7-5104-6367-9
定　　价：32.00 元

1978 年——中国改革开放启幕

1978 年——我的文学生涯开始

庆幸，我的命运与时代、与祖国同行。还有一份安慰：当我离开这个世界时，有人可以从我的文字里触摸到中国今天的脉搏是如何跳动的……

何建明

重要创作历程及个人成就

1978 年	创作第一篇中篇散文《湘西探险记》
1980 年	发表第一篇报告文学《腾飞吧，苍龙》
1982 年	创作第一部军事题材小说《第二道战壕》
1986 年	出版第一部报告文学作品集《缉私大王》
1988 年	出版第一部长篇小说《东方毒蛇》
1989 年	由同名作品改编的电影剧本《西行囚车》被搬上银幕，此片获珠江电影制片厂优秀故事片奖
1990 年	第一次获中华宝石文学奖
1993 年	任文学杂志《新生界》主编
1993 年	发表第一部长篇报告文学《野性的黑潮》
1994 年	第一次成为《青年文学》封面人物
1995 年	《共和国告急》出版，此后获第一届鲁迅文学奖
1995 年	《科学大师的名利场》发表
1998 年	《落泪是金》发表，此后获第二届鲁迅文学奖、第一届徐迟报告文学奖、中国改革开放优秀报告文学奖
2000 年	《中国高考报告》出版，此后获第一届正泰杯全国报告文学奖
2001 年	《中国高考报告》被日本、澳大利亚翻译出版
2002 年	《根本利益》发表，此后获第二届徐迟报告文学奖、人民文学奖特等奖、第六届国家图书奖提名奖、第二届正泰杯全国报告文学奖，入选中宣部推荐的党的十五大献礼书目
2002 年	《国家行动：三峡大移民》出版，此后获中宣部第九届“五个一工程”奖，入选中宣部推荐的党的十六大献礼书目

2003 年　《北京保卫战》发表，获《文汇报》优秀作品奖

2003 年　完成电影剧本《廊桥悠悠》创作（此为与谢晋导演合作项目）

2004 年　由《根本利益》改编的电影《信天游》上映

2004 年　《永远的红树林》发表，此后获第四届正泰杯全国报告文学奖

2005 年　《李琬若：从中国留学生到美国市长》出版，并被美国翻译出版

2005 年　获国务院授予的“全国劳动模范”称号

2005 年　任《中国作家》杂志主编

2006 年　《男人的美丽男人的梦》出版

2007 年　散文《父亲的体温》入选中学课本及教辅资料

2007 年　《部长与国家》获第四届鲁迅文学奖、第三届徐迟报告文学奖荣誉奖

2008 年　《生命第一——5·12 大地震现场纪实》出版，此后获第二届“中华优秀出版物”奖、第四届徐迟报告文学奖

2008 年　任作家出版社社长

2008 年　荣获“全国新闻出版行业领军人才”称号

2008 年　根据《国家行动》改编的同名电视连续剧在央视播出

2009 年　任中国作家协会党组成员、书记处书记，中国作家出版集团党委书记、管委会主任

2009 年　《国家行动》电视连续剧获中宣部第十一届“五个一工程”奖

2009 年　《我的天堂》出版，获中宣部第十一届“五个一工程”奖

2009 年　《永远的红树林》获新中国六十年优秀中短篇报告文学奖

2009 年　获中华全国总工会“时代领跑者——新中国成立以来最具影响的劳动模范”评选活动提名奖

2010 年　根据《部长与国家》改编的电视连续剧《奠基者》在央视黄金时段播出，此后获中宣部第十二届“五个一工程”奖

2010 年　《忠诚与背叛：告诉你一个真实的红岩》出版，此后获中宣部第十二届“五个一工程”奖、第三届中国出版政府奖，入选“2013 年全国青少年推荐阅读的优秀书目”

2010 年　任中国作家协会副主席至今

2011 年　《国家——2011 · 中国外交史上的空前行动》出版，后获人民文学奖特等奖，入选“2012 年中国报告文学优秀作品排行榜”、中宣部推荐的党的十八大献礼书目

2012 年　《三牛风波》出版，荣登北京图书大厦畅销书排行榜

2012 年　任中华文学基金会理事长至今

2012 年　当选中国报告文学学会理事长至今

2014 年　《南京大屠杀全纪实》出版，此后获第四届中国出版政府奖、人民文学奖特等奖

2015 年　获亚洲品牌协会“中国文化品牌新领军人物”荣誉

2015 年　《真假之间》发表

2016 年　《爆炸现场》出版，获中国出版集团优秀销售奖，入选“2016 年中国报告文学优秀作品排行榜”

2017 年　《死亡征战》出版，被英国、法国翻译出版

2017 年　《那山，那水》发表

（截至 2017 年 9 月）

目录

我们可以称他为伟人 /001

天堂创造者 /079

序篇 人们都说这里是天堂 /081

第一章 行德于农——从穷到富之路 /098

第二章 施德于工——从富到强之路 /126

第三章 载德于心——从强到福之境 /151

尾声 德者常盛 /179

我们可以称他为伟人

一个伟大的时代，总会涌现出许多了不起的人物。作为这个时代的记录者，我常为那些创造伟大时代的精英们感动。本文的主人公在我少年时代就在我心中留下烙印。然而我不曾想到的是，几十年过去了，他竟然在不断创造着奇迹，我在有限的时间内用有限的笔墨，对本文主人公进行了一次这样的素描，意在让人们了解什么是真正的共产党人，什么是真正的社会主义。亲爱的人们，你能读完此文，一定会与我一样找到答案，感受激动……

——题记

5000多万元就放在面前，而且明确告诉你：这已经属于你了。你将如何？

如此巨额财富面前，它的诱惑力足可以让一个高贵的人丧失高贵，不是吗？已位居“国家领导人”之一的成克杰，就是在远低于这个数额的面前倒下了，使他玷污了高贵的身份，顷刻间变成了人人唾弃、遗臭万年的大贪官。这样的人还有一批：胡长清、王怀忠、刘方仁、田凤山、李嘉廷、程维高、丛福奎……他们服刑前都是“高贵”者，然而他们现在都已经沦为党和人民的败类，或被枪决，或为阶下囚。

归结到底，他们不是真正的共产党人，不是人民期待的好官。他们只能与粪土为伍，百姓憎恨这样的人。

而他，完完全全、名正言顺地可以将这5000余万元装进自己的口袋。组织说了：“这是奖励给你的，你不仅可以拿，而且应该拿！”他淡然一笑：“我要那么多钱干吗？不要。还是留给村里，留给百姓。”这个人不简单，与上面那些靠权力为自己聚敛本不属于自己的钱财者相比，难道他不算是一个伟人？

他应当是个名副其实的伟人。虽然用他自己的话说是个“裤腿上一辈子甩不掉泥巴的农民”，可他的精神境界却如此高贵并值得尊敬。今年78岁的他，从未离开过生他的那个村子，也从未离开过与他同呼吸、共命运的村子里的男男女女、老老少少，他带领百姓把这个村子建设成“天下第一村”。

谁敢夸口“天下第一”？他敢！因为从20世纪五六十年代开始，他的村子一直走在中国农村发展的前列。近半个世纪里，多少与之同起并齐名的“红旗”或“典型”，或倒下或消失，有的像吹气的泡泡，有的则如昙花一现，唯独他和他的村子，旗帜依旧高高飘扬，而且在市场经济的今天和全面建设小康社会的伟大征程上，他的旗帜越举越高，越来越鲜艳。

2003年时，他的村子实现经济生产总值100亿元；2004年为200亿元；今年的目标是300亿元。

村，在今天的中国是最小的基层行政单位，又是纯粹的由农民组成的农业单位。这个村子的新掌门人吴协恩先生非常低调地微笑着告诉我：今年全村可以实现20亿元的利润。而我知道，其实在这公开的利润之外，还有好几亿元的钱是补给了已经非常富足的村民们……

十余年前，苏北盐城的一个只读过高中的农村小伙子，在面对终日汗洒黄土不能实现青春理想的痛苦时刻，无意间看到一份包粮种的旧报纸上刊发的一篇介绍这位农村支书如何领导农民走向富裕的报道，于是这小伙子带着300元盘缠，只身来到本文主人公所在的那个村子，期待找份能吃饱饭的同时还能余几个钱的工作。后来这位小伙子被留了下来，若干年后小伙子又把自己的户口从苏北迁到这里。这还不算，小伙子又把自己的父母、对象以及对象的父母及其兄弟姐妹全都迁了过来，这滚雪球式的“家族大迁移”至今已达57人之多！

“B29 号”，这是小伙子现在的新家，一座两层建筑的欧式别墅，面积达 500 多平方米，室内全套的豪华家什和精美装饰。主人介绍，这是村里分给他的住宅，按当地的“村价”约为 230 余万元（折合中等城市的价格大约 500 万元左右）。“之前我有一栋是前年搬入的别墅，面积也有 400 多平方米。”小伙子非常平静地告诉我，没有丝毫的炫耀。他说：在这个村子里，像他这样的一户农民家拥有两幢洋气十足的别墅并不在少数。

“我们村的每户农民，最少存款也有百万元，当然存款千万元的也为数不少。家有别墅、汽车已是几年前就有的事了。你没听说我们村里的农民在十年前就有了‘八有八不’？”

“何谓‘八有八不’？”

“八有就是：小有教——孩子从幼托到中学全部免费上学，考上大学有奖励；老有靠——男 55 岁、女 50 岁后人人都有六七百元以上的退休保养金；房有包——所有村民的住房全部由集体负责分配；病有报——看大病小病全部报销；物有商——村民购物可以不出村，大商场、小商场和适合农家生活的超市应有尽有；玩有场——闭路电视、影剧院、农民公园、世界公园你想得出的游乐设施全有；餐有供——各类档次的饭店餐厅遍及村子东南西北中，村委会为每位村民提供一年 3000 多元的补贴，等于 365 天你可以不用掏钱便可满足口福；行有车——村子为每个家庭配一至两辆小轿车。八不即是：吃粮不用挑——村里有公务人员专门将各家所需食粮送到你家；吃水不用吊——村里的自来水清纯可口，通至家家户户；煮饭不用草——这已不是新鲜事，用煤气管道跟城里一样；便桶不用倒——农村用上抽水马桶是现代文明的一种标志；洗澡不用烧——农户有热水管道比你们城里人不差吧？通讯不用跑——我们村是全国第一个电话村；冷热不用愁——夏有空调、冬有暖气；雨天不用淋——全村住宅之间有万米长廊将户与户联为一体，你可以雨天不湿脚、夏日不晒阳……"

小伙子绘声绘色的描述，早已让我心旷神怡，于是迫不及待地去感受一下天堂般的人间仙境，当我走进七彩长廊时，仿佛步入北京皇家公园——颐和园那条著名的长廊……

"我们村的长廊可比颐和园的要长多了！不骗你，那年江泽民同志来我村视察时就这么说的！"主人充满自豪地说。

"你一年的收入是多少？可以公开吗？"面对如此富有的村庄，于是便有了我心底早已想知道的问题。我问小伙子。

"没什么不可以公开的！在我们村里没有灰色收入，大伙的收入在村里都有账。"小伙子坦诚道。"拿去年说吧，除了日常的工资，去年村上一共给了我大约 150 多万元呢！"

"什么 ?150 多万元哪？！"我无法不惊叹！一个农民的年收入竟然有这么多！不是天方夜谭又是什么？然而这是真的。小伙子说，他这 150 万元中，80% 能进入村工业集团的股份，还可获得可观的钱生钱分红。

小伙子名字叫孙海燕。你要查证的话，我有他的手机号码。从一个对人生命运失去信心的打工仔，到年收入达 150 万元的新村民，是我的主人公依靠他那颗为百姓造福的共产党人之心，为无数孙海燕这样的农民创造了一个个中国经典神话。

这是个财富的世界！而财富本身并不是资本主义的专利，它属于一切人类的共有。马克思、恩格斯创立共产主义学说的第一天就明确地指出了："共产党人不屑于隐瞒自己的观点和意图。他们公开宣布：他们的目的只有用暴力推翻全部现存的社会制度才能达到。让统治阶级在共产主义革命面前发抖吧，无产者在这个革命中失去的只是锁链，他们获得的将是整个世界。"（引自《共产党宣言》）革命导师说的"整个世界"当然包括人类的一切财富。

共产党人是些什么人？他们在中国是无产阶级的先锋队，也是全国各族人民的先锋队。而组成这个先锋队的人，他们必须具有推动社会不断发展富裕和繁荣人类文明的先进性。对中国共产党人而言，这个先进性正如胡锦涛总书记所说的——它必须坚持“切实落实到发展先进生产力、发展民主政治、发展先进文化、构建和谐社会、实现最广大人民的根本利益上来，推动社会全面进步，促进人的全面发展。”只要“紧紧把握了这一点，就从根本上把握了人民的愿望，把握了党的先进性的真谛……”（引自胡锦涛《在新时期保持共产党员先进性专题报告会上的讲话》）

我的主人公是位地道的农民。他既没学过哲学也没上过大学，但他在几十年间领导农民们建设社会主义的实践中掌握着马克思主义哲学最精髓的核心和最基本的原理，即一切从实际出发，走适合自己村子发展的道路；他认为，唯让百姓幸福，就是社会主义；让全世界人都幸福，这就是共产主义！

这是一个中国农民对社会主义和共产主义的理解。没有深奥的理论，没有玄妙的逻辑，却包含了无数深刻理论与丰富实践经验的真理。其实大凡一切最管用、最经典的真理，都是清澈见底的“白开水”。不是吗？毛泽东的“枪杆子里面出政权”，邓小平的“发展是硬道理”，不正是如此？！

有关什么是社会主义、什么是共产主义，从马克思时代就争论不休，在中国近代历史上，“主义”的争论更是激烈。一百多年来，旧式学者甚至包括腐朽的晚清政府也曾尝试把垂死的社会改造。到了“蒋家王朝”，“社会主义”也曾风靡一时。然而真正的社会主义只有到了中国共产党执政的时代才得以实现。可是，由于人为的因素与缺乏经验，使得我们在什么是真正的社会主义和建设什么样的社会主义问题上，耗尽了多少政治家的睿智和精力，也使十亿人民走过了不少曲曲弯弯的路途。

毛泽东带领中国人民从贫穷中探索社会主义，可他并没有摆脱“阶级斗争”的阴影……

邓小平之所以获得人民的拥戴并赢得全世界的尊敬，就是因为他为世界上最大的一个民族解释和寻找到了什么是真正的社会主义并如何建设社会主义的道路。他的“三起三落”并没有影响他成为二十世纪最伟大的人物之一。

吴仁宝——我的主人公的名字，这位农民虽然不能与毛泽东、邓小平这样的领袖人物相提并论，但他在自己的那块土地上，以一个真正共产党人的胸怀和睿智，成功地实践了让农民从几千年形成的物质贫穷与精神愚昧的世界，过渡到物质富足、精神丰富、身体健康、人人都基本能“自由发展”，并朝着真正意义上日新月异的高水平的幸福富裕和完美方向不断前进——几千人、万把人，每年以 100 亿元以上的速度递增，创造物质财富和人均享用上万、甚至几万美元的纯收入，这样的发展速度和财富即便在最发达的国家也是少有，而这仅仅是物质层面。吴仁宝的伟大之处，更体现在他以一个共产党人的崇高信仰和坚忍不拔的意志，靠实干、靠求新所铸造出的“华西精神”，以及他本人这面历经风雨永不倒的红色旗帜，这正是我要告诉世人我们为什么可以称吴仁宝是伟人的原因——

50 年不败，靠共产党人的一种责任，以人民幸福为已任。25 年创出 300 个“华西村”，走一条从实际出发、发展经济的特色之路……

华西村的百姓也经常在一起议论：而今的老书记年近八旬，可思想为啥总比别人前一步？

省、地、市、乡的干部更会在平时如此议论：吴仁宝这个人了不得，几十年总是先进，别的典型一个个倒下了、消失了，唯独他长盛不衰、旗帜高扬！

那年江泽民同志视察华西问到这个问题。吴仁宝回答：我注意“两头”。一头与中央保持一致，也就是同各级组织保持一致；一头是同人民群众保持一致。

嗯嗯，细细说来。党的总书记颇有兴趣地请他解释。

“我认为，做一名干部，只要跟‘两头’保持一致，既同上面保持一致，又跟下面保持一致，就是一个不太差的干部。在下面做干部的，不要说做最好的干部，能做不太差的就不错了。如果专门想做最好的干部，就会容易只看自己好的一面，看不到自身存在的不足一面，最后这样的干部就要变成坏干部。”听吴仁宝这话，一下容易让人想到另一位曾经风云一时的农村干部典型。

他就是天津大邱庄“庄主”禹作敏。

吴仁宝曾经与禹作敏交往并且交情很深，但由于各自的精神境界不同，两位农民领袖最终成了不同道的人。吴仁宝出名远在禹作敏之前，可到了20世纪的80年代初始，随着陈永贵的大寨失去光彩，天津的大邱庄异军崛起，一夜间成了“华夏第一村”。早有“南大寨”之称的吴仁宝听自己的助手赵毛妹、吴协德从南昌的“中国农村‘群雄会’会议”回来介绍大邱庄后，心情极不平静。在此次会上，禹作敏的代表向外界亮出他们“华夏第一村”的实底：1983年全村工农业总产值3002万元，人均过万元。其实当时吴仁宝他们的华西村人均产值比大邱庄高出2012元，为12012元。

“可我们与大邱庄比有差距，他们的村级经济总量比我们强！我们得迎头赶上！夺回‘天下第一村’！”已坐镇全国农村“经济老大”多年的吴仁宝不甘心，在秋收秋种尚未完时，他便带着20多名村干部急匆匆地直奔天津大邱庄。

吴仁宝见禹作敏后，一副江南农民的谦和与诚恳之情，远远伸出双手握住对方：“早就耳闻大邱庄的事迹，我这次和村上的干部专门来取你们的真经，你可不能保密啊！”

禹作敏则一副新霸主的气度，当着吴仁宝的面直拍胸脯：“北方我老大，南方数华西。我大邱庄哪里都可以不帮，你华西我要帮！”

握手那一瞬，吴仁宝已知这位新对手的三分深浅。可那一次吴仁宝不露声色地沉下心来学习对方在开发市场、体制管理和用人等方面的道道。回华西后，吴仁宝一连开了几次干部、骨干会，把大邱庄如何壮大集体经济的经验反反复复琢磨了个透底，随后又派几位精明之人再度北上到大邱庄进行了半个月的调查摸底。之后，吴仁宝与禹作敏也有数度交往。日子一长，吴仁宝对小他两岁的“禹庄主”有了入骨三分的了解，他以自己用血和泪水换来的挫折教训，对日益“唯我独尊”的禹作敏语重心长道：“禹老弟啊，你这一辈子小事是出不了的，因为小事谁也不想动你，可你将来就可能会出大事。”吴仁宝久经政治风云，他又告诫禹作敏：“我们靠改革开放政策，做出了一点成绩，党和人民给了我们荣誉和地位够多、够高的了，所以我们更要头脑清醒，更要有自知之明，摆正自己的位置。”他以一位老练的农民政治家的涵养，特意加了一句：“我说这些话，也是和你共勉的。”

不出所料，弹指一挥仅仅十年，曾经耀眼无比、不可一世的大邱庄“庄主”禹作敏因触犯法律而锒铛入狱，“天下第一村”的光荣头衔稳稳当当地回到了吴仁宝的华西村。

禹作敏的下场，对重新认识当代中国农民带头人在社会上引发了不小的震荡。因为在这之前，新中国历史上最耀眼的农民领袖陈永贵的政治末途和他“说没就没”（郭凤莲语）的去世，以及其他几名农业标杆的纷纷落马，使得人们对“农民革命”的成功者产生了一定的怀疑：他们能不能代表真正的农民利益？能不能成为不倒的共产党旗帜？

这时期，在农业战线依然站立着的似乎只有吴仁宝一杆旗帜了！吴仁宝此刻在做什么？想什么呢？

吴仁宝此刻做了三件很经典的事：

一是他不顾重重阻力，带着华西村的主要干部和村民代表，不远千里，到了山西的大寨大队。在虎头山上，他率领华西干部和村民代表向陈永贵墓庄严地鞠了三个躬，同时向郭凤莲送去了华西村与大寨大队的几个合作支援项目。吴仁宝曾多次对人说：在当代中国农民中，他最佩服陈永贵，并称陈永贵有思想、有观点、有本事，是硬干出来的。

第二件事是他亲自为华西村编了一首“村歌”。歌词这样写：“华西的天是共产党的天，华西的地是社会主义的地。华西人民艰苦奋斗，团结奋进，锦绣三化三园社会主义的新华西；华西的天是共产党的天，华西的地是社会主义的地。华西人民艰苦奋斗，团结奋进，实践检验华西，社会主义定能富华西……”这是一首套用“解放区的天是明朗的天”歌词的村歌，朴实无华，光“社会主义”一词就用了好几回。当这首由吴仁宝亲笔填词、华西村村民们齐声在中央人民广播电台合唱的村歌播出后，令无数新老共产党员激动得流泪。他们说：“这样振奋人心、催人奋进的歌已经好几年没听到了！”那时，以苏联为代表的东欧社会主义国家纷纷改朝易帜，中国国内外嘲讽和怀疑社会主义的阴风也吹得玄乎。吴仁宝带领华西人高吟这样一首“社会主义”赞歌，是需要很大勇气的。而当时还有一个特殊背景：随着农村改革的不断深化和市场经济的风起云涌，曾经缔造了新中国农村经济发展神话的苏南乡镇企业在此时又面临彻底解体的末途，似乎谁言“集体经济”谁就是“改革倒退派”。吴仁宝才没管这一套，他对共产主义和建设有华西自己特色的社会主义信仰坚贞不渝。而正是他的这份不可动摇的信仰，才敢理直气壮高吟“华西的天是共产党的天，华西的地是社会主义的地”这等豪迈诗篇。

吴仁宝做的第三件事——也是最漂亮的一件事：他在报端看见邓小平同志的南方谈话后，以敏锐的政治眼光和丰富的实践经验，迅速做出了一个后来使华西村突飞猛进、走在中国农村乃至其他各行各业前头的决策——集中和动员华西村所有血本，以其雷鸣电闪之势，奋力抢占市场的举措。

这件事值得细述——

“喂，总机吗？请通知村党委委员和正副村主任，还有各厂厂长，凌晨三点让他们上南院宾馆403会议室参加紧急会议……”墙上的闹钟时针已指向午夜两点多了，吴仁宝正一手拿着《深圳特区报》和《人民日报》，一手操起电话哇哇直喊。

“老书记，半夜三更开会是啥急事呀？”不到三点，该来的村干部们全部到齐。他们弄不明白吴仁宝要干什么。

“急事急事！天大的急事！”吴仁宝连扫一眼会场的工夫都没顾上，便直奔主题：“总设计师小平同志出来说话了！我看中国新一轮的经济发展马上就要到来！我们华西村如果不抓住这一次机遇，就会痛失一百次的腾飞机会。为此，我提出当前我们华西村压倒一切的中心任务是四个字……”

“啥四个字？”会场上的几十双眼睛全聚集在65岁的华西村领航人身上。

“借——钱——吃——足！”一向说绵软吴语的吴仁宝此刻运足底气，高声喊出这四个惊天动地的字。

“借钱吃足？”片刻寂静，会场上立即出现此起彼伏的询问和议论。

“对，我们华西村过去当了几十年先进，一向以既无内债、又无外债而自豪。这回我们要打破老思路，来个借别人钱、生自己的财了！你们听我说……”吴仁宝站起身，示意与会者朝他靠拢，随后他以特有的笑眯眯姿态向村干部们如此这般一通言说……

“太好了！老书记，就照你说的，我们干！甩开膀子干！”村干部们的脸上兴奋激动起来。

“好，那我们就拼出血本大干它一场！”吴仁宝拳头重重地落在桌上。会后，他健步顶着晨曦向东方走去……

“老吴，你这么早找我有啥事啊？”无锡市市长走出办公室的第一眼就十分意外地看到了默默等候在一旁的吴仁宝。

“我来向市长你借钱的。2000 万，我要 2000 万元！”吴仁宝向市长开虎口。

“嘿，怪了啊——你华西村吴书记借钱，可是头回听说！说，什么用？”市长意外又兴奋地询问。

“商业机密，不可泄露。”

“好你个老吴同志呀！连我都不透露一点？”

“不透露！”吴仁宝一双眯成细缝的笑眼里透着几分狡黠。市长先是一愣，继而会心一笑，他已明白吴仁宝要干什么了，便说：“好，你不说我也不问了！你吴仁宝和华西村借钱，我一万个放心！ 2000 万就 2000 万！”

“谢谢市长！华西村百姓会永远记着你的恩。”

吴仁宝这回咧大嘴乐了：他用借得的贷款和村上的自有资金及村民集资的几千万元，一下“吃”进后来翻了数倍价格的万余吨钢坯和千吨铝锭及数百吨电解铜，又将这些原材料投入到随后上马的村办新企业生产中，而等别人还在细学慢嚼邓小平南方谈话精神的时候，他吴仁宝和华西村早已甩开四蹄扬鞭在经济大发展的快速道上——10 亿村、20 亿村……50 亿村、60 亿村……华西村直奔天下第一，无人匹敌！

此后吴仁宝领导的华西村，不再仅仅是全国产粮标杆、农民艰苦奋斗建设新农村的形象了，它已成为市场经济大潮中奋勇前进的巨轮——跃居全国百强乡镇企业行列；已成为农工商全面现代化的旗舰——称雄华夏物质文明和精神文明建设的战场；已成为中国特色社会主义的理论先导和成功实践的经验产地——闪耀着马克思主义和中国农村具体实际相结合标签的五彩金星！

说吴仁宝是个奇人的已经很多了。但仅仅靠积累的经验和天性的聪慧而制造出的一点奇迹，并不能保证他会成为一名永不倒地的英雄和奇才。吴仁宝一生闪耀的光芒，是他作为一名共产党人所追求的信仰的坚定性，这绝非所谓的奇人所能够拥有的。

足够让世人刮目相看的华西村现在的实力和发展速度仅凭想象是很难形容得出的。“三年。再过三年你来华西村看看就更不一样了！”吴仁宝见我后的第一句话说得很自信也很有底气。

“三年后的华西会是什么样呢？”我在眼花缭乱的景观中参观时尽力去想象明天的华西与现在的华西之间的差异，但我自感想象力的匮乏。明天的华西村有更多的“金塔”（华西村现在有三座十五层的金塔）？明天的华西能实现千亿元的年产？明天的华西是一个田野上的现代化都市？

吴仁宝笑了，细言细语地告诉我：这些都不难。千难万难，实事求是最难。华西村能有幸福的今天和更加美好的明天，就是我们掌握了实事求是这个法宝。

这是一句与炫耀丝毫无关的朴实之语，但真正能做到的人并不多。它考验着共产党人的先进性，同时也标立出了普通人与伟人之间的一道分水岭……

吴仁宝的华西村并非生来就是天堂福地。20 世纪 50 年代末，吴仁宝出任华西村前身 23 大队的党支部书记。当时正值“大跃进”年代，一些头脑发胀的人都在放卫星。先进分子吴仁宝自然逃不出上面的点名：“吴仁宝同志，你们大队的稻子长势比别人家的好，你能上报多少亩产？”

“那——人家报了多少？”吴仁宝问。

“最少的也有一万斤了。”

“一万？”吴仁宝两眼发直，心里打算了半天怎么也高不上去。最后他狠狠心，鼓足勇气报了3700斤。

“保守，太保守了！仁宝同志你应该认识到，产量报的高低是个政治问题，也是党性问题，你要好好考虑考虑。”

吴仁宝打小在田野里打滚，他清楚每一块田里到底能打多少粮出来。面对无数双咄咄逼人的眼睛，这回他不想再说违心话了：“这样吧，等收割时，公社派人到我们大队监收，如果地里能多收一斤稻谷，我们全大队宁愿挨饿也要倒贴十斤指标卖给国家；可如果亩产每少收一斤，你们也得给我们如数补上啊！”

这个吴仁宝！他的话一出，从此再没人朝他要亩产数字了。

“那时我不满人家报万斤粮的，其实我报3700斤也说了假……从那以后，我再不相信玩虚的了。玩虚的假的，沾光的可能是一些当官的，但吃亏的肯定是老百姓。我是从田埂上走出来的共产党员，一辈子脱不了双腿上的泥土，所以我于心不忍做假……”半个世纪后的今天，吴仁宝如此深情、执着地对我说。

1961年，华西村正式组建，当时称大队，下辖10个生产队，人口667人，可耕地841亩，人均欠债1500元。12个小自然村落，破破烂烂，茅草房，泥垛墙，羊肠小道弯弯曲曲，七高八低的田地落差数米……“高的像斗笠帽，低的像浴锅塘。半月不雨苗枯黄，一场大雨白茫茫。”这是华西村当时的真实写照。

面对贫穷，吴仁宝最真切的感受和最强烈的愿望，就是要让自己的兄弟姐妹不再面黄肌瘦，就是要把那些背井离乡的孩子和婆婆婶婶们找回来暖和他们的手和脚……

那时吴仁宝想要做到这两点，唯一的办法就是带领乡亲们改天换地。

改天换地的战斗，是靠滴滴汗水冲刷的一种艰苦奋斗精神。吴仁宝一生最佩服陈永贵这位农民兄弟，就是因为当时的大寨精神给了他和华西大队一个改变村子旧貌的榜样力量。

学先进、赶先进，新中国五十多年岁月里有过无数次这样的运动和高潮。但吴仁宝与众不同之处或者说他的伟大之处，就在于他注重从实际出发、坚持与时俱进的创新和创造。在全国性的“农业学大寨”热潮中，吴仁宝带领华西走的是一条既求艰苦奋斗又讲规划目标之路。为“十五年将华西建设成为社会主义新农村”的目标，吴仁宝身先士卒，与全村干部群众以实干拼命干的精神，提前八年实现。“做煞大队”换来的是土地平整、道路宽畅、白墙青瓦的新农村和闻名全国的“亩产超吨粮”先进典型。

现在我们到华西村参观，早已看不到昔日吴仁宝他们改天换地留下的那些旧景了，其实当时他们干得相当悲壮。有一首民谣曾在华西村四邻流传了很久：“做煞大队无搭头，干起活来累死人。有女不嫁华西去，宁愿扔在河浜里。”

吴仁宝和他的农民兄弟姐妹们的拼劲，是华西精神最初的核心内容。那会儿华西人的苦干确实吓退了不少本来已经准备嫁给华西村小伙子的外村姑娘。一时间，退婚的女子把华西村搅得人心惶惶，这是一向笑眯眯的吴仁宝所不曾料到的。在别出心裁的“寻开心”青年社员大会上，吴仁宝高扬起嗓门，说：“我不相信华西村的男青年找不到对象！今天我们改天换地的战斗确实比别人苦出几倍，可明天我们华西村就会比别人好出几倍。那时候，我们华西村就会有成群送上门的好姑娘！你们说是不是啊？”“是——”小伙子们被吴仁宝说得眉飞色舞。“现在我想鼓舞一下我们华西村的姑娘们，你们干活个个冲锋陷阵，不甘落后。现在你们要拿出干活的劲头跟我们村上的好小伙子们去恋爱、去结婚！”吴仁宝的这句话把“寻开心”会引向了高潮……当下，“铁姑娘队”队长赵毛妹“噌”

地站起身，响亮地表态："我要嫁给别村姑娘不要的那个……"说完，她涨红着脸，瞥了一眼坐在旮旯的那位被外村姑娘退了婚的小伙子赵福元。赵毛妹后来真的与赵福元结为百年之好，证婚人自然是吴仁宝。赵毛妹非常了不起，她不仅以自己的行动在"做煞大队"的关键时刻为村里稳定了军心，后来也成长为吴仁宝的得力助手，人称"华西村的郭凤莲"。

华西村靠一根扁担、两个肩膀威震神州大地。那年大将军许世友率领江苏省干部们到华西村开现场会，见身边站着一位衣冠楚楚的农村大队书记后，一把将其揪到吴仁宝面前，说："你这个书记我看不要当了，瞧瞧人家吴仁宝，捋胳膊，光双脚，手上的老茧铜钱厚。这样的书记才能让农民过上好日子嘛！"

华西出名的时候正值"文化大革命"时期，靠实干和抓生产争出的典型，在那会儿并不吃香。倒是一个由林彪老婆叶群抓的"学毛选"积极分子，一夜间像神话般传遍了大江南北，因为这位种田的老阿婆能画各种符号来谈"学毛选"的体会。一时间，这位邻近华西村的老阿婆成了万众瞻仰的人物。可人们上她那儿学到的却是十分荒唐可笑的"早请示晚汇报"和"忠字舞"。种田出身的吴仁宝一看那些玩意儿就愤愤地甩袖回到华西村，对自己村民们如此说："早请示晚汇报和忠字舞出不了一棵好苗好秧。我们把生产搞上去就是用实际行动向毛主席献忠心。"

就这样，东边的"学毛选积极分子"老阿婆那里书声琅琅，却生产连连下降；西边的华西村脚步咚咚，却生产大丰收。于是不多久，来自全国各地参观"学毛选典型"的人纷纷转道上了华西村。这还了得！吃政治饭的人赶紧派队伍阻拦前往华西村的人群，哪知根本不起作用。

"吴仁宝，你这么搞是什么用意？想用生产压革命啊？"帽子满天飞的年代，有人举着这样的高帽来压吴仁宝。

“我……”吴仁宝想当场顶那“领导”，可灵机一动，他又恢复了平时一脸笑眯眯的神情说道：“毛主席不是说了‘抓革命，促生产’嘛！我们华西就是一手抓革命一手促生产，再说我们的生产上去了，也是学习‘毛选’后的结果呀！”

“老吴，你要这么说就对了！华西村的生产上去了，就是靠的学政治嘛！”那“领导”这回对吴仁宝颇为满意。

“我现在经常对人说，自己为什么七八十岁了还没有完全退休，就是因为以前犯过三个错误：教条主义、形式主义和官僚主义。这三个主义在我们新中国建设的几十年里，经常有人犯，我也不例外。所以总想在自己身体允许和有能力改正错误的时间里多补点回来，多干点有利于老百姓的事。”今年“五一”长假期间，已从华西村“一把手”退位至“总办”主任的吴仁宝在华西接受我采访时说到此处，又一转话锋：“教条主义、形式主义和官僚主义是实事求是的最大敌人，我为什么总说千难万难，实事求是最难？就是因为我们在基层工作的同志，要想从实际出发，为百姓干点实事时，不断会遇到这样那样的问题。比如说在‘宁要社会主义的草，也不要资本主义的苗’的年代，我们华西村为了改善和增强集体经济，偷偷摸摸搞了个小五金厂。那时华西已经是全国有名的农村先进典型了，我们办小五金厂在当时是绝不允许的事，属于割资本主义尾巴的范围。但我们为了让百姓日子过得好一点，就把办小五金厂当作头等重要的副业来抓，后来每年为村上创利几十万元，那时候一个生产大队有几十万元收入，绝对算富裕了！可这么好的事，领导来了我们只能赶紧关门，参观的人一走又机器隆隆响起。后来露了马脚，我只好跟领导这样汇报‘这是响应上级指示精神，搞两条腿走路’。上面的人信这呀！他一信我们就可以继续干，华西村就这样慢慢有了较强的集体经济。”

有人说吴仁宝之所以成为中国农业战线上的一个“不倒翁”，就因为他有一套能对付上面的手段。吴仁宝听我口出此言时，爽朗地笑道：“我尽管很痛恨形式主义，但有时觉得形式主义还有点用。比如我们要干成自己想干的一件事，当时的政策和形势可能就不让你干，怎么办？这个时候我就玩点‘形式主义’了。这形式主义能对付官僚主义，因为官僚主义比较喜欢形式主义。”吴仁宝说到此处，笑眯眯地把嘴凑到我耳边说，给你讲个故事，你不是就住在我们华西的金塔宾馆吗？华西的金塔现在有三座，我们还要造十几座金塔。你们大城市来的人看了金塔一定会说这塔怎么不土不洋呀！吴仁宝怎么就这农民水平呀！我告诉你为什么要造这不土不洋的东西。华西村发展到现在这规模，按照一般思路就得有非常气派的行政大楼、业务大楼、综合大楼什么的。可我不搞那些。因为我们华西还是农民的华西，要有农村特色。农民对塔建筑容易接受，一句话，喜欢塔。所以我就主张建塔，以塔代替各种大楼。你看到的金塔全是我设计的。造好后，大家的感觉就是有些不土不洋。我心里偷偷笑，华西和我吴仁宝要的就是这不土不洋。而且这不土不洋就是一个形式，专门对付那些官僚主义。现在可以告诉你我为什么这样做，如果当初我把塔建得特别洋气，就会有领导指着鼻子问我搞那么洋气干什么？他们还会说华西是中国农村的先进典型，那么洋气就是脱离农民！反过来同样道理，我把塔建得太土了，人家领导又会指着我的鼻子，说你吴仁宝和华西村再富也是农民，就是土。你说说，这难办吧！所以我干脆来个不土不洋——正好。哈哈……”吴仁宝说着自个先笑起来。一个典型的农民风格的智者。“话得说回来，一般情况下，领导们到下面来总是爱看点好看的、听点好听的，于是下面就有人专门搞些迎合的东西和名堂了。所以说到底，除掉形式主义的根子还要靠上面，靠实事求是。”吴仁宝如此结论。

到六十年代末，华西村依靠一个小五金厂和一台小磨坊，便积累了100多万元的固定资产和100多万元的现金存款。而此时的华西村村民们也全部搬进了大队统一盖建的新瓦房，并且家家有存款。从这时候起，外村姑娘嫁华西村甚至小伙子“倒插门”来华西的风潮一直延至今日……

吴仁宝通过华西村第一个历史发展的进程，深切地体会到：将一名共产党人的使命和责任落到为百姓谋幸福之上是多么的重要，而人民群众对这种重要性的呼应，又使吴仁宝更加坚定地走实事求是和创新的发展之路。

“中国改革开放的总设计师邓小平有句名言，叫作‘发展是硬道理’。我怕农民群众弄不太懂，就自创了两句话，叫作‘有条件不发展没道理，没有条件创造条件发展才是真道理’。我们华西就是靠这个精神一步步求发展的，走得还比较顺。所以我总结了十八个字：大发展，小困难；小发展，大困难；不发展，最困难。现在胡锦涛提出科学发展观。我的看法是：发展最科学，不发展最不科学。”瞧这位农民政治家出口成章的经典词语，既朴实又充满深刻的实践思想！

“让百姓幸福就是社会主义。让百姓幸福就必须大发展。”这是吴仁宝担任华西村支部书记几十年来总结和遵循的一个“真道理”。

为了把这个“真道理”转化为农民们人人看得见、摸得着的幸福感觉，吴仁宝带领华西人走过了“七十年代造田”“八十年代造厂”“九十年代造城”的三次革命性征程。

“七十年代造田”完成的是农民们实现温饱的革命。就是在这样的一场农民们人人都明白如何走完的革命路途中，吴仁宝也创造过许多“特色”。“造田”初始，吴仁宝就放言说：“这些年，干部一动员大干快上就说要让大伙儿脱几层皮、掉几斤肉。我看哪，叫群众脱皮掉肉的干部一定不是好干部。从今起，我们华西人在搞大干快上时，不仅不能脱皮掉肉，而且还要长肉增膘！”天底下能有这等事？当然有。这就是现今老一代华西人经常给后代们讲的“老书记办食堂”的一则百听不厌的故事——农忙来临，支书吴仁宝忙着张罗的不是农田里的播种与收割，而是那个“大食堂”。

“你们听着：主食供应要放开，小菜副食多花样，荤素搭配得合理，茶水点心送田头……”吴仁宝拉长嗓门在食堂内外不停吩咐着。

农忙战斗打响前，吴仁宝特地指定58位姑娘称了称体重。大忙一过，竟然出现奇迹：有38位姑娘增了体重。现今姑娘增体重是件愁事，可那年代绝对是喜笑颜开的美事，更何况是在出力流汗的农忙季节！这就是吴仁宝为百姓创造幸福的细节之一。“办食堂”曾经被当作一种“极左”行为进行过批判。可吴仁宝不这么看，他看到的是农民们为了集体生产出大力流大汗，如果不能把身体搞好，哪来的冲天干劲？于是他力排众议，办起“农忙大食堂”。农民们高兴呀！干活有人管饭，自然心情舒畅。这心情一舒畅，啥苦啥累都不在话下，身体也就跟着长膘了！华西村的“农忙大食堂”一直办到八十年代，后来“大食堂”就变成了大饭店、大宾馆和各种风味小餐厅。现今村民不管男女老少，每人每年有3000多元补贴，可任意在这些地方免费就餐，这是后话。

华西人有句“无农不稳，无工不富”的口头语。早在七十年代进行“造田”战斗同时，吴仁宝已经摸索出了一套建设社会主义富裕新农村的经验，即：单一的农业很难使农民们真正富裕起来，只有彻底解放农村生产力，走农村工业化道路，中国的农民、农村和农业才有出路。

七十年代末、八十年代初，中国的农村经历了一场自新中国成立以来最为波澜壮阔的伟大革命。在跨越三十年的土地集体耕作之后，农民重新获得了种地的自由——分田到户、包产到户的承包责任制迅速在各地推开，成为那个时期“三农”工作的主要内容和改革标志。面对全国性的农村改革形势，以集体经济壮大起来的华西村的路怎么走，吴仁宝必须回答。

“分？！当然分有分的好处。可分与不分仅仅是个形式。中央政策的意图很清楚，分田到户为主要改革内容的承包责任制，其最终目的是让农民富裕起来。这说明选择什么样的道路并不重要，根本的一条，就是看我们共产党领导下的农民们能不能过上富裕日子。我们华西村的集体经济已经发展得相当好了，农民们都开始过好日子了，为什么一定要分呢？华西村现在的头等任务是要更大力度地解放生产力，让大伙儿的生活更加富裕、全面富裕！这也是社会主义，是社会主义的根本目标！”吴仁宝的回答掷地有声。

南京。雨花台。细雨蒙蒙中，一百多位神情肃穆、列队整齐的农民，紧握拳头，面对革命先烈纪念碑，个个庄严宣誓：“苍天在上，大地作证，我们华西人要有难同当，有福同享，决心苦战3年，目标1亿……”尽管雨水打湿了每一个宣誓人的脸，但人们还是认出了领头宣誓的那个年长者，他就是吴仁宝。

这个日子是1985年8月19日。这一年吴仁宝58岁，一个名副其实的老共产党员。在雨花台的那次雨中宣誓，心细的人会发现：流淌在这位老共产党员脸上的，不仅有飞扬的雨水，更有两行滚烫的热泪……

外界人一提起吴仁宝，只知道他是华西村的党支部书记，其实吴仁宝还当过乡官、县官，只是他在当乡官、县官时从没有丢过华西村支部书记这个职务。吴仁宝一生中最大的官职，是他在1975年4月至1980年5月这段时间里出任江阴县县委书记一职。

“不行不行，我是一个农民，文化水平低，怎么能抓得了一个县的工作嘛？”在上级领导告诉吴仁宝已经决定让他出任县委书记时，吴仁宝再三真诚地推辞。

“我们认为行。你事业心强，魄力大，干劲足。再说你也兼任多年县委副书记，在负责一方面工作中抓得很好，组织上考察的结果，大家都觉得你能挑起新的担子。再说，陈永贵不也是从一个农民、一个村支部书记，一直到现在任国务院副总理、中央政治局委员嘛！”领导举例说。

“我的水平哪能同陈永贵同志比？再说，我也离不开华西……”

“这个我们已经研究过了，你当江阴县委书记，仍兼任华西村支部书记。陈永贵当了国务院副总理，不也还兼任昔阳县委书记嘛！”瞧，又拿陈永贵说事。

组织决定，没辙。于是吴仁宝就从村支书，一跃成为专职县委书记兼华西村支书。之后的五年零一个月里，吴仁宝以抓华西村的干劲和经验，坚持从实际出发和抱着让百姓过上好日子的心愿，废寝忘食地工作。他在复出的邓小平向全党提出“全面整顿”的精神鼓舞下，以真抓实干的工作作风，上任县委书记的第一年就提出要把江阴“一年建成大寨县”，并用他特有的形象语言把几项奋斗目标编成一首诗：“七十万亩田成方，六万山地换新装，五业发展六畜旺，社会人人喜洋洋。”

我们可以想象一下：1975 年，虽然邓小平的“全面整顿”使各条战线如久旱中迎来一阵春雨，但“文化大革命”所形成的只讲“阶级斗争”、不抓生产和发展的政治空气，在当时的农业战线也还极其严重。吴仁宝想实现“誓改江阴面貌”的雄心十分困难。“建设新面貌，县委是关键；不怕群众不愿干，就怕县委不敢干；不怕农业上不去，就怕领导干部下不去；不怕基层干部不团结，就怕县委班子思想不统一。”面对重重压力，吴仁宝在县委常委会上用朴实而炽热的语言，感动和激励着县委一班人。“干社会主义，就要拿出真变化。”吴仁宝结合江阴实际，提出三项“大跨步”。在这一系列措施中，其中有一项最能体现吴仁宝作为基层领导干部的实干作风，他要求县机关干部改变以往坐办公室的作风，实行“三三制”，即三分之一人员到基层或农村，三分之一人员深入一线调查研究，三分之一人员留守机关处理日常事务。如此一来，整个江阴县机关和基层单位的干部，精神面貌和工作干劲为之一新，全县各项工作呈现生机勃勃、热火朝天的景象，江阴的各项发展由此进入了前所未有的突飞猛进阶段。从 1975～1980 年吴仁宝任县委书记的五年里，江阴县的工农业生产总值整整翻了一番多。

江阴本先进，
昔尚不逮今，
今日沸腾谋建大寨县，
苟欲描摹语言良难寻。
我闻此讯心跃然，
不胜欣喜望南天，
仁宝同志江阴众，
英雄业绩维仔肩。
更思举国数千县，
孰不能如江阴焉？

这是身居京城、与吴仁宝同乡的中国语言大师叶圣陶老先生在报上见到江阴欣欣向荣变化时，“感极喜极”地给吴仁宝作的一首诗。老先生感慨万千道：“我乃苏州人，想苏州人当同此兴奋。

即非苏州人，亦必欢呼称颂也。”

一生耿直天真的叶圣陶先生哪知他所万般欣赏的农民兄弟吴仁宝的“英雄业绩”，在一些人眼里却并非如此，加之当时政治气候的影响——我们曾都记得，随着陈永贵为代表的一批农民典型和大寨旗帜的纷纷失色或退出政治舞台，红了几十年的吴仁宝似乎也让个别喜欢在某个政治气候中捞稻草的人看到了机会，他们先是写黑信说“华西是假典型”——华西假了吴仁宝还能真吗？这种逻辑的推断所造成的恶果极其可怕。而吴仁宝坦荡无私的工作作风，又使一些“讲实际”的干部党员也找到了“出口恶气”的机会……

1980 年 5 月中旬的一天，江阴县直机关召开党员大会，选举出席即将召开的中共江阴县第五届代表大会的代表时，发生了一件曾在中共江阴县委和江苏省党史上十分罕见和令人震惊的事：身为江阴县委书记和中共江苏省委委员、业绩卓然的全国老典型吴仁宝，竟然落选了！

县委书记落选县党代会代表，更何况这个县委书记此时还是党的全国十一大代表呢！

这是吴仁宝一生从未有过的一次大起大落——是在他入党整 40 年时、官职最高、为党的事业干得最火热、功绩最大的时候出现的政治命运，刚毅的吴仁宝此刻真是欲哭无泪……

无奈中的上级组织考虑到这种局面，决定调吴仁宝任地区农工部负责人，但吴仁宝请求道：“我来自华西，还是回华西。我是党员，一生唯一的愿望就是想为百姓多干点实事，坐机关不太适合我。”面对一位不计名利的老共产党员的诚恳请求，组织上最后答应了他。

吴仁宝从“县官”的宝座上又回到华西村当起了农民。

南京雨花台前宣誓时那两行泪水，是不是这位老共产党人内心涌出的一丝委屈？还是其他什么？吴仁宝从没跟人说过此事，华西村人在这种不平中也获得了一份欣慰，他们再一次看到老书记又意气风发地回到了他们中间！

53岁的年龄从县委书记岗位上正常卸任，以后的日子颐养天年也属情理之中。然而非正常“下台”的吴仁宝却选择了一条完全不同的路——他重新回到了生他养他、并与村民并肩用汗水改变了旧貌的华西村。

现在吴仁宝的身份依然是农民。他的实职是村支部书记。

不是所有的人都能甘心自觉自愿去接受这样的命运选择，即便是伟大的人物。但吴仁宝做到了，他以一个共产党员期待“为民造福”的宽阔胸怀和崇高追求，完成了他从一个普通农民到时代伟人的人格升华和心路历程的转变。

之后的二十年里，吴仁宝这位老先进、老劳模所做的每一件事，所走过的每一个脚印，都体现了一位农民共产党人的先进性。而他对中国农民的深厚感情、对中国农村和农业发展方向的真知灼见与成功探索，都几乎可以用完美来形容。

“八十年代造厂”，是他这种不断追求完美的一个重要里程碑。

“亿元村”——这是吴仁宝领着一百多名华西村人在南京雨花台前发出的誓言。选择雨花台，就意味着吴仁宝下了“誓死不休”的决心。

今天的华西村每年产值以100亿元的速度在递增。可在八十年代时，“亿元村”对中国农民们来说，如梦里的天堂一般。天津大邱庄的禹作敏之所以牛气冲天，就因为那会儿他村里的产值已达3002万元（1983年），比在全国早出名的华西村高出一倍多。“亿元村”的目标，对一个仅有千把人的华西村而言，近似一座高不可攀的泰山。

吴仁宝不愧是一头永不知倦的拓荒牛，他的每一次发力都让人惊骇：三年实现“亿元村”，而且是“三化三园”的“亿元村”，即绿化、美化、净化和远看华西像林园、近看华西像公园、细看华西农民生活在幸福乐园——这是吴仁宝当时给华西村描绘的蓝图，它浸渗着这位一辈子与农民滚打在一起的老共产党人始终如一的作风：不仅追求物质文明，更追求精神文明；既要好看，又要实惠。而这也正是农民们企盼而为之奋斗的理想家园。

“搞建设，就得拿出革命先烈那种舍身取义、视死如归的精神。从今起，我们每个党员干部都要以身家性命来押华西三年内实现‘三化三园亿元村’的目标。拿笔来——”南京雨花台宣誓回村后，吴仁宝第一个在干部责任保证书上重重写下自己的名字。这不是一次普通的签名，村里的党员干部们知道：责任保证书上写得清清楚楚，在“亿元村”的奋斗中如果目标没有实现，他们的家产将全部充公！

如此悲壮的农民革命啊！

“从那年起，每年我们华西村党员干部都得在村民面前‘签字画押’一次。正是这种豁出去的拼命精神，使党员干部的责任心、事业心获得了极大发挥与激励，华西因此也有了一年更比一年好的直线上进的局面。”吴仁宝说这话时，一腔慷慨和激情。

华西村的农村工业化道路便在这般悲壮的号角中吹响了战斗的进军曲。

田野上的工厂该是个什么样？显然吴仁宝想的绝不是那些“乒乓乱响”的作坊式小厂，这回他要实现真正意义上的工厂梦！

从田园到工厂，中国农民梦求了五千余年的路程，现在吴仁宝欲一步跨越。

“攀远亲”“搞联营”“借他力”“寻远航”……那岁月，吴仁宝既像乐队的总指挥，又如亲自上阵演奏的大提琴手，忽而奏响百舸争流的奔腾旋律，忽而谱写绿色田野的春天童话，令人目不暇接，陶醉又沉迷——跳出“村门”进“城门”，闯出“国门”富“村门”，借脑袋生财，租梯子上楼，绑大船远航……这一招一式，无不显示着吴仁宝解放思想、开拓进取的胆识与气度。这期间，由华西村创出的诸如“星期天工程师”“教授下乡走亲戚”等媒体新名词也不断在人们的耳边响起。而所有这一切，都是吴仁宝这位农民改革家一手谱写的“造厂”乐章中那些闪耀着光芒的精彩音符……

现任华西村党委副书记、“教授村民”程先敏走过的人生经历，无疑是这些精彩乐章中那个闪耀得格外夺目的“音符”。

那年程先敏 39 岁。这位因不甘“囊中羞涩”而辞别西安交通大学的年轻教授，有一天怀着好奇心走进华西村……

“你是大学教授？”

“是。我家在陕西商洛地区，农民出身。因为家里穷，所以上学后特别用功，从小学到大学读书一直是跳级的。十几年寒窗苦读就是为了跳出‘农门’，可真当了大学教授后又发现自己还是没有能力改变家族的穷困，所以只身来到苏南想寻求生路……”

“你学的什么专业？”

“机械制造专业。”

“听说你在我们华西村附近的另一个地方有过三年的办厂经历？现在为什么又要走了？”

“是，那个厂我去后效益翻了好几倍。但最终因为我是个外地人，他们在许多关键决策时不听我的，眼下工厂每况愈下，我也不得不走了……”

“那——你愿意上我们华西村吗？”

“如果我来了，你们能发挥我的专业特长并按照我的建议办企业，并且不把我当成外人吗？”

“完全可以——只要你是对的，只要你真心把自己当作华西村的人，华西村会真心诚意对待你的。”

“那我愿意留在华西。”

“好！”一双长满老茧的手热情地伸向年轻的教授。程先敏认出了站在他面前一直笑眯眯的老人就是华西村老书记吴仁宝。

“说说，你这位教授留在华西村有什么条件？”吴仁宝喜欢直截了当。

“没什么条件。”程先敏回答得也很直截了当。

“真没？”

“真没。”程先敏肯定地摇摇头。见老书记的眼睛盯住自己不放，于是只好说：“工资可以低一点，三百来块就行……”

吴仁宝再一次伸出双手，握住年轻教授的手，十分欣慰地笑道：“你是个跟我合得来的人！好好干吧，华西村有你的用武之地！”

程先敏就这样成了第一个到华西村工作的教授。他以自己的专业知识和令人敬佩的工作干劲，在华西村“造厂”创业中贡献了自己的全部才智和本领。年末，程先敏要回陕西探亲，吴仁宝给他 3000 元钱，并说：“你一个月拿 300 块工资是亏的。”老书记的一句话，让年轻教授十分感动，程先敏其实知道，那时华西村一般的干部和企业管理者也就一个月拿 100 多元工资。

……又到第二年回家探亲时，程先敏正在收拾行李时，村上的会计扛着一只鼓鼓囊囊的麻袋进门对他说：“老书记让我把这些给你。”

程先敏打开麻袋一看，惊得嘴巴半天没合拢：妈呀，麻袋里装满一捆捆崭新的十元钞票！不多不少，50000 元整！二十世纪八十年代的 50000 元，对多数中国人来说，绝对是个天文数字。程先敏面对老书记吴仁宝和华西人的一片灼热心意，他哭了……从老家再回华西村时，程先敏把放在自己口袋里五年的全家户口簿，交给了吴仁宝："老书记，如果你同意收留我们，从今起我们就是华西村的村民了……"

吴仁宝听完此话，转身朝正在"造厂"工地上热火朝天干活的村民们大声嚷道："有教授来华西当村民，相信我们的明天一定更美好！"

"华西的天是共产党的天，华西的地是社会主义的地……"这时，环绕全村四周的高音喇叭齐声响起农民们熟悉而高亢的那首《华西村歌》……

三年，一千多天，转眼间的事，吴仁宝却像变戏法似的让华西村的田野里矗立起一座座既绿化、又环保的大型工厂，并且成为气势雄伟的苏南农村土地上的第一个工业园区。

时至 1988 年，华西村的经济呈现出以第二产业为主体、一三产业为两翼的多元化格局，年产值超过预期，达 10106 万元。

"亿元村"的目标实现，华西再度成为全国农业战线最光彩夺目的旗帜！

这年吴仁宝 60 岁。可他意气风发的精神面貌，谁也无法将"老人"的标签贴在他身上。吴仁宝笑言自己正当年，"因为我的党龄才 34 岁。34 岁的人干什么活？当然是干翻天覆地、惊天动地的事嘛！"一个生命不息、奋斗不止的共产党人的胸襟和情操就是这样崇高！

吴仁宝有句口头禅："一个党员就是一面旗帜，党员代表着党的形象。一个党员干了好事，老百姓就会念共产党好。"而且他这样认为："全心全意为人民服务是共产党员的职责。要为人民服务好，最根本的就是要让人民过上好日子。要让人民过上好日子，就得发展经济。"

吴仁宝正是靠这种理念，并以其不甘平庸、抢立潮头和求新务实、一心扑在发展经济上的雄心与干劲，带领华西村农民以

“十年跨越一个时代”的速度，创造了“天下第一村”的一个又一个神话。

“不土不洋，亦城亦乡，把华西建成富足的社会主义农民乐园。”这是吴仁宝在完成对华西村“造田”“造厂”之后集体经济不断壮大的基础上，开始引领农民们走向全面小康和向“中康水平”迈进的又一次历史性登高。这期间，在吴仁宝“实事求是、艰苦奋斗”的指导思想中，又加进了“科学发展、超前规划”的内容。

吴仁宝构筑的“不土”，并非我们现在所看到的华西村那一幢幢、一排排在大都市里才能找到的那些五光十色的中式、欧式农民别墅，或是象征华西形象的金塔建筑。他的“不土”，其实是当代中国农民在邓小平建设有中国特色社会主义理论指导下，以其励精图治的创业精神和敢为天下先的英雄才智，在完成从拿锄头到拿榔头；从与庄稼土地打交道到与机器与市场拥抱；从种田汉到厂长经理；从农业文明到工业文明的“自我革命”的，开始全面进入脱胎换骨的“基因革命”的过程。这既是终结传统农业文明、挥手告别现代工业文明的一种辞旧意义，更是开创符合中国国情的社会主义农业城市化的新探索。“土”是农民的本质，吴仁宝在领导建设富足的华西村时，之所以被世人所称道和不失为中国农民的榜样，就是他始终没有脱离农民“土”的本质。九十年代以后，华西在取得农村工业化巨大物质积累后，开始了惊世骇俗的“造城”——即农村城市化的进程。在传统意义上，“造城”总会破坏原有的农村自然格局。可华西村在吴仁宝的精心规划下，没有将城市的概念简单地搬到村子里，他们追求的是那种外建筑和内装置上“一百年不落后”的超前设计与投入。在规划与选址上则坚持现代化的都市建筑与农村古朴的自然风景和谐地融为一体，因而这样的“华西城”让人百看不厌，百住不旧，且独具魅力。

“规划和质量上的一百年不落后，实际上本身就包含了巨大的经济效益。过去农民日子一好过，就是翻盖房屋，再多的财富积累也因一次次的建房而所剩无几。华西村在发展初期时也出现过这种情况。现在我们改变了思路，在再规划和盖房时，尽可能地超前，这样做从长远看，既达到了一百年‘不土’的目的，又因优美的硬件建设，为吸引投资和聚集人才起了很好作用。”吴仁宝指着那些让美国人、欧洲人都羡慕的造价在几百万元的农民别墅，为我解读其中的奥秘。

与那些豪华的欧式别墅相毗邻，我信步参观了代表华西村文化概念的“农民公园”，“不洋”在这里很有代表性。走进公园，绿荫和花丛间是小桥流水、扁舟穿梭，一派杨柳吹拂和阵阵欢歌……但最引人注目的还是中国人熟识的“桃园结义亭”“三顾茅庐”和“二十四孝”长亭等景致。许多到华西参观的人，总会在此对吴仁宝这位“百分之百布尔什维克”的老书记为什么要搞这些名堂提出疑问。

“这正是我们老书记从农民的实际情况出发，而一向坚持倡导的一种实用的传统文化教育形式。”村“精神文明办”的小赵介绍说：老书记认为，教育富裕了的农民，既要向他们不断灌输现代文明思想，同时也不能放弃中华民族的传统文化教育。老书记常说，我们共产党人信仰共产主义，坚定走社会主义道路，但也得讲求“仁义忠孝”，尤其是年轻一代的农民要教育他们对老人和父母必须忠孝。为此，老书记还倡导在村里设立了一项特别奖：凡哪家有 90 岁高寿的老人，直系亲属每人每年可获得“忠孝奖”1000 元。凡哪家有老人活到 100 岁高龄的，直系亲属每人每年可获 10000 元“忠孝奖”。陈珍妹老人百岁时，她全家五代同堂 37 人就每人获得 10000 元大奖，共计 37 万元！有人问老书记，是不是奖金太多了？老书记说："一点不多。华西村的老人假如都能活到百岁，那就证明我们华西人民不仅生活富足、精神愉快、身体健康，而且后代孝敬老人做得出色，这样的奖励物有所值。"吴仁宝就是比人高一筹！这样的"不洋"里包含着深刻的中国特色和农民特色。

走出"农民公园"，我被一座绵延起伏的山峦所吸引。此山虽说不算高，但它因矗立于一片平坦的田野上，故而显出特殊的气势，形状极如一条活脱的巨龙，这使我心头顿升一缕联想：华西村好风水，原来此处真有"龙"也！

说话间，我的双脚跨进了一座飞檐斗拱、气势恢宏的牌坊，上面有四个金灿灿的大字——华西公园。嘿！在这峰回路转、依山傍水的公园里，我终于领略到了华西村的"洋"景：美国的"白宫"、英国的"古城堡"、巴黎的"凯旋门"、德国的"天文台"、捷克的"乡村别墅"……这里真的"洋"透了！"农民们出国，过去是做梦也不敢想的事，可在华西，我们的村民可以天天'出国'，而且免去任何手续，早饭可在'印度'吃，晚上住宿在'日本'，一天可以走十几个'国家'，保证享受的是一流服务……"搞宣传的小赵绘声绘色地介绍，并不时领我身临"出国"之境。真的哎，在华西"万国园"内，可有多种外语服务，可有各种饮食的享用，更有各种文化的观赏。总之，这里是十足的"洋"。

"不土不洋"，又"土"又"洋"，在华西村你无时不在这种传统与现代、历史和现实的中西文化的大交融中感受着、激动着、陶醉着、回味着……

是的，所有这些，都渗透了吴仁宝这位农民思想家的精心创意和独特理念。

读懂它，既要穿透辩证法的哲学境界，又要领悟实事求是的现实根基。我这样理解吴仁宝的“不土不洋”——在这里的“不土”中，“不”，其实是一种追求，一种理想，一种创新，一种与时俱进；而“土”则正是实事求是、中国特色或者说是具有中国农村与农民特色的社会主义本质。“不”与“土”在这里是一对互为依存、互相促进的充满活力的革命的辩证关系。同样，在这里的“不洋”中，“不”，其实是一种摒弃早被毛泽东同志批判的那些盲目崇洋思想和教条主义。而这里所追求的“洋”，却代表着吴仁宝和华西人善于吸收人类一切文明成果、乐于接受新思想新事物的先进意识。

吴仁宝的另一个建设新华西的“亦城亦乡”理念，则是与“不土不洋”同样寓意。它让我们有梳理不完的哲学境界和可借鉴的实质内容。

这，再次让我感叹吴仁宝为什么不能是个我们可以称道的带着浓重泥土味的伟人呢?

面对我内心的这种发问，吴仁宝谦和地说，我只是一个农民，一个讲求实事求是的共产党人。“如果问华西这面旗帜为什么几十年不倒的话，我的体会是：因为我们始终做到了‘三不倒’，即‘难不倒’‘吓不倒’和‘夸不倒’。”老书记这样解释：“难不倒”，通常是指我们在改造客观世界过程中的决心和办法；“吓不倒”，通常是指中国特有的社会环境和政治形势下，我们在基层干实际工作的同志有没有较强的政治识别力和政治谋略能力。吴仁宝进而举例说，华西村和他本人在过去的几十年风风雨雨中曾经遇到一次又一次的“黑典型”和“红典型”之争。比如在“文化大革命”中，林彪江青一伙为了抬高他们树起的那些极左假典型，曾多次对华西村打压、污蔑，甚至采取极端的手段，企图毁掉华西村这面坚持建设有自己特色的社会主义新农村的旗帜。在那些岁月里，华西人民始终坚定不移地搞社会主义必须发展生产力的信仰，他们以让人民过上好日子和为国家多做贡献为两大己任而使华西村的旗帜永远迎风飘扬。

二十世纪八十年代，中国农村的“包产到户”已在全国全面铺开，而且当时只有同一声调：“包”字万能、一包就灵。似乎谁不“包”，谁就背离十一届三中全会精神。一时间，这样的帽子从四面八方打向一直坚持“不分不包”的华西村，当然主要打在了领头雁吴仁宝的头上。面对全国风云变幻的形势和重重压力，吴仁宝镇静自若，他对村里的干部群众说，党的十一届三中全会精神，是我们党总结了历史上犯“左”的错误教训后，根据我国农村实际情况所做出的政策调整，它的中心意思是允许一切有利于增加生产、增加收入、提高农民生产积极性的做法和责任制都应允许和予以支持，中央并没有说要搞一刀切、搞一种模式，而搞一刀切、搞单一的模式，正是中央并不提倡的。针对外面有人说“我们那儿分田到户后农民如久旱逢甘霖，你们华西不分田不怕上压下反吗？”吴仁宝坦然处之，说：“三中全会精神讲实事求是，一切从实际出发。我们各自的情况不同，你们分，是实事求是，是三中全会精神；我们不分也是实事求是，虽然我们搞的与你们是不同的责任制，可我们奔的都是三中全会指引的富民路。”吴仁宝还将华西村“产业结构有生命力、集体经济有吸引力”等诸项优势介绍给那些真心爱护华西的领导和友人。尤其当吴仁宝介绍到华西村早在六七十年代就开始把那些便于个人操作的农活包户、包人，以及企业实行厂长责任制的做法时，那些怀疑华西村、劝说吴仁宝的人都十分惊诧地说：搞了半天，你们华西村在落实三中全会精神方面又走在了前头！

谈起华西村和他本人曾经亲历的一幕幕跌宕起伏的往事，吴仁宝坦言：共产党人的一大本事，就是在各种考验面前不被吓倒。而要做到不被吓倒，你心里就得有本执政为民、造福为民的账。

有了这本账，你做事就不会迷失方向，不会被任何力量所动摇，更不用说被什么政治形势吓倒了。

在华西村，无论是当年与吴仁宝一起艰苦创业的老一代，还是改革开放后成长起来的或者是今年从四面八方汇聚到这儿的年轻一代，他们在谈起老书记的政策水平和处变不惊的能力时，总有一种发自内心的敬佩之情，甚至到了某种崇拜的地步："老书记说对的就肯定没错，因为他对政策的理解能力都比我们高，都比我们准确。"这是实话。

党的十五大后，中央根据当时国家经济发展中出现的一些情况，做出了"抓大放小"的战略调整。一时间，上上下下、各条战线立马呼悠起一阵对那些丧失活力、效益乏力的小单位、小企业进行"转制风"，在苏南地区更是刮起了一阵欲将"半壁江山"的乡镇企业"全盘转制"的狂澜。当时华西也有一些效益并不太好的企业，有人便进言吴仁宝：干脆借机把这些企业"放"了算啦！吴仁宝摇头，说：华西村的每一个企业、每一块砖瓦，都是全村村民的，我们没有这种权力"放"。我们能有的只是责任，是把这些效益差的企业扶植好的责任。在吴仁宝的这一思想指导下，华西村借十五大的东风，在村企业集团范围内开展了一次旨在调整产业结构、狠抓企业效益为目标的"抓大扶小"举措，很快使得全村工业效益呈现"大向强走、小向优走"的全面健康发展态势。至2000年，华西人在吴仁宝的领导下，在仅有0.96平方千米的面积上，创造了50亿的工业销售额和5亿元的利税效益。党的十六大后，吴仁宝又对华西提出"科学发展、有效发展、创新发展、统筹发展"的新目标。具体落实在全村工业生产指标上，他和干部们制定的目标是：2002年完成60亿元销售额，2003年完成80亿元销售额，2004年完成100亿元销售额。结果由于大抓了"科学、有效、创新和统筹"发展的四大措施，生产效益不仅全面完成，而且连续两年销售额达到 100 亿元！

在一片欣欣向荣的形势下，吴仁宝却出人意料地提前两年将华西村的领航大权交给了年轻一代——过去他多次表示要干到 80 岁。交权的那天，他深情地对村民们说：“没有吴仁宝，华西的明天定会更美好。”事实也是如此，新华西村党委班子以老书记为榜样，紧紧抓住执政为民和科学发展两大主题，他们提出了从今年起，要“努力一千天，创造一千亿”的新目标，即在今后三年内，每天全村要创造一个亿的产值，三年一千个亿！

这是多么了不起的数据。而他们仅是一群中国农民！一群由老共产党人吴仁宝一手带领起来的中国农民！

有福民享，有难官当——共产党人的先进性，在这一刻得到充分体现和升华

在我们很小的时候，就羡慕共产主义社会，那时大人们告诉我们说：电灯电话，楼上楼下，那就是共产主义；等我们长大后，这些都有了，可是发现共产主义其实离我们还很远很远。即便是共产主义的初级阶段——社会主义，我们也仅仅刚刚跨入。于是我们有了许多疑惑，但我们仍然那么渴望共产主义……因为渴望共产主义，所以我们一心想建设好社会主义。这是所有共产党人共同的理想和事业。

但社会主义到底是个什么样？我们同样有许多疑惑，经过几代共产党人的不断探索和实践，在排除许多疑惑之后我们终于明白了一个最基本的道理：社会主义必须让人民富裕起来，富裕了的人民才有幸福可言。人民真正富裕了幸福了，那才是名副其实的社会主义。

走进华西村，我们最强烈的感受是：这里的农民真的是天下

幸福富裕的人！他们住的是宽敞、豪华的房；家家停放着 1～3 辆轿车；吃，基本不用花钱；穿“仁宝”“华西村”等自创的名牌服装；老人有丰厚的退休养老金；孩子上学全免费；每家每户少不了百万、千万的存款……这日子让美国、欧洲来的客人都异口同声：华西村的农民是天下最幸福的人。“如果允许，我宁愿上这儿当一个村民”——这话，新加坡的客人说过，美国的国会议员说过，德国的政府部长说过。

2004 年，我国政府曾经宣布中国人均收入达到了 1000 美元，这一数据的诞生将昭示着中国从一个落后的贫困国家，全面进入了建设小康社会的历史阶段。当我来到华西村，才知道今天的华西村农民的人均收入其实已经过了 8000 美元，如果再算上村里的各种福利补贴，他们的人均收入实际已超过 10000 美元。我们因此毫不见怪地在华西村随时可以听到建设“中康”奔“大康”的话语。

说这话最多的，还是老书记吴仁宝。

可以这样认为：而今的华西村已经基本全面“中康”。但明天的华西村的“大康”究竟是个什么样呢？或者说五十年后、一百年后的中国是个什么样，我希望能在已经走在别人前面几十年的华西村得到某种感受和体验，并期望从吴仁宝的嘴里得到答案。可是这位充满睿智的老人没有直面回答，却把我带到一排在绿荫花丛和小桥流水间巍然矗立的新建筑面前，兴致勃勃地介绍说：这 18 栋年底前竣工的“总统别墅”是以后让村里八十岁以上的老年人轮流享用的。

让村民享用“总统别墅”？我有些不解。

吴仁宝似乎看出我的心思，笑眯眯地解释：建“总统”别墅，一则是为了迎接更多的外国贵宾，二呢也想让华西村民们享受享受“我们所能想得到的世界上最好的物质文明”。

听其一言，我的脑海里突然跳出吴仁宝的一句名言：有福民享，有难官当。

华西村的农民福气太大，大到他们能享用到连我们一直生活在大都市的人也难有可能享用的居室内有游泳池的“总统”待遇！真正的总统生活其实并非一定是幸福生活的享受者——因为他们没有自由；而具有总统物质待遇的农民才是真正的享受者——因为他们可以自由自在地支配自己。吴仁宝一生都在追求一种境界，这个境界就是他要让自己的农民兄弟成为世界上最幸福、最富裕和最自由的人。为了实现这一境界，他把一个共产党人的执政理念和执政智慧全部贡献给了他的百姓……

“华西 398 号”是吴仁宝的家。如果不是亲眼所见，你绝不会相信在农民们享受天堂般生活的光景中，这位缔造中国富甲神话的“村主”竟然自己与老伴俩人依然住在华西村七十年代的旧楼里——听华西村民说，这样的楼现今多数租给那些外地来的打工者。

吴仁宝在“作秀”？一个大大的问号跃入我的脑海，但很快被否定了。

“老书记在七十年代华西村成为‘中国农村首富’时就给自己立下‘三不’规矩：不拿全村最高工资，不住全村最好房子，不拿全村最高奖金。老书记的这‘三不’他全做到了，所以我们现在过的生活越好，就越觉得对老书记过意不去……”村民黄永高——一个残疾的农民，他拐着双腿毫无顾忌地领着我来到他正在装修的新别墅，一边看一边跟我说着老书记的事。黄永高说他先前不是华西村的，是相邻的华明村人。他在两岁时从树上掉下来，摔断了腿，因为家贫没有钱治，结果落了个终身残疾。1982 年冬日的一天，靠修鞋维系生活的黄永高蹲在华西村一个厂子的门口给人修鞋，当时天下着雪，黄永高蜷曲着双腿，蹲在地上干活，那双缝鞋的手裂出一道道血口……

“小伙子，你叫什么名字？多大啦？”黄永高一看是华西村的老书记吴仁宝，赶忙如实回话。

“那你愿意到华西村来工作吗？我们正在建设一个宾馆……”

“我？能行吗？”

“我看行，你能吃苦。”

黄永高看着吴仁宝慈祥真诚的目光，不禁热泪滚滚而下……从此黄永高这位残疾青年落户华西村。几年后，黄永高不仅有了自己的用武之地，而且还在38岁时与一位比自己年龄小一半的一位同在宾馆工作的四川籍姑娘产生了爱情。要结婚了，黄永高将喜讯告诉吴仁宝时，老书记欣喜若狂，亲自为黄永高操办了5桌酒席。之后，又给黄永高分了一套三层楼房。

“老书记对村民太好了！去年我退休时，他考虑到我儿子也上中学了，又给我调了这套450多平方米的别墅……”黄永高为了让我感受一下老书记给予他的关怀，楼上楼下地带我好好参观了一番：好气派！地面是锃亮的大理石和进口木地板，铝合金钢窗闪闪发亮，全套红木家具和应有尽有的电器家什……你怎么也想象不出这是华西村一户收入相对属于中低水平的残疾农民的家庭。

“老黄，你可比老书记家的房子气派多了！”我一句随口而出的话，竟让黄永高泪流满面、泣不成声：“是啊，老书记家的条件有我这三分之一水平就不错了，我一想这，就觉得特别过意不去……”

黄永高说的是实话。就在几小时之前，我进过吴仁宝的家，在那栋二层旧楼里，我印象中最深的有三样东西：一是满屋子的照片，那是主人在各个时期与党和国家领导人、地方领导人及外国朋友在一起的合影；二是四周破落的墙皮；三是那张如今很少有人家再睡的南方旧式木床。不用刻意描述，就这三件东西，便概括了主人吴仁宝的基本生活状态：朴实无华，落后旧式，普普通通，与华西村民目前的生活水平差三个时代。

在常人眼里，吴仁宝是华西这个“天下第一村”的“皇上”，有巨大的权力，有无限的财富，有至高无上的威信，可吴仁宝没有当“皇上”，他只选择做一名为民造福的公仆。

“人活着为了什么？活着的时候是得有点钱，享点福。可人不能仅仅只为了钱才活着，为了享福才掌权。为国家、为人民多做点贡献，这才是一名共产党员的责任。我的最大幸福和满足，就是想看到百姓的生活越过越好。”在华西采访的一个星期里，吴仁宝与我有过三次直接接触，而其中有两次他说过这样的话，这使我印象特别深。

在华西人过着天堂般幸福富裕的生活时，我们随便问一位农民，他们一谈起老书记都可以给你讲一段关于老书记如何关心他们的感人故事，谈到动情处，总会热泪盈眶。村民们对吴仁宝如此深情，那么在吴仁宝心目中的老百姓又是怎样的呢？这是我非常想知道的事。

“给你讲件事吧。”一向笑眯眯的吴仁宝在我提问后，神情一下变得凝重起来：那年组织上让我当江阴县委书记，我思想上没准备，感情上也不愿离开华西村。可这是组织决定，我得上任去。那几天村上的人都想我这一走可能就永远不会再像以前那样天天跟大伙儿在一起了，他们以各种方式来向我道别，其中一个叫吴荷英的姑娘给我送来一双她亲手纳的布鞋时说了一句话特别让我感动，这孩子说：吴书记，是你的恩情给了我工作、给了我家，我们当百姓的什么都不盼，就盼你这样的干部不要离开我们，要不我们就没有好日子过了……当时我接过她送的鞋，又品着她的话，眼泪一下掉了出来。这孩子的情况我一清二楚，她小时候得了小儿麻痹症，走路只能靠拐杖，15 岁了还只能在家吃闲饭。在农村，这么大的姑娘摊上个残疾身子，如果不能自立就一辈子只能过苦日子了。孩子的父母着急，我看了也难过，心想一定得让孩子有份事做做。后来我到镇上的一家皮带厂，请厂里的领导帮吴荷英找个皮匠师傅。人家答应了，我就摇船把小荷英送去了。一年后，我又把小荷英接回华西，让她进了村上的服务组，专为村民做鞋、修鞋、钉掌和补补缝缝。这孩子心灵手巧，不仅村上的人喜欢她，连邻村的一个小伙子也看中了她，后来俩人产生了爱情。小荷英结婚时，村上分了她一套新房，我还特意批准她的新郎贡祥兴到我们华西落户。现在吴荷英一家过着幸福生活，一儿一女都非常健康，上完中专、大学后又在华西找到了很好的工作，一家美美满满。小荷英的变化和她送我一双鞋时说的话，对我触动很深，所以有时我常常在想，老百姓生活在最底层，他们的冷暖苦福，如果我们这些在基层工作的党员、干部再不去过问、再不去帮他们一把，那他们还会有啥好日子过嘛！老百姓过不上好日子，又要我们这些党员、干部啥用？所以说，是党员的、是干部的，你的全部责任归根到底只有一个，就是怎么让自己的人民和百姓过上幸福美满的生活。

吴仁宝的话并不深奥，但却折射了深刻的马列主义、毛泽东思想和邓小平理论及“三个代表”重要思想的最核心和最本质的内容，即：共产党人的全部责任，就是为了人民谋幸福。

华西村从二十世纪五十年代一直到新世纪的今天，在长达半个世纪里之所以始终走在中国农村发展的前列，这里的老百姓能够过上今天最幸福富裕的生活，归根到底，就是领头人吴仁宝始终如一地把共产党人的这份责任扛在了肩上，并将自己的全部智慧和情感倾注在这份责任之中。

至此，我相信读者和我一样终于明白了吴仁宝为什么在全村人都早已住上第四、第五代别墅后，他仍然不肯搬出 20 世纪 70 年代盖建的旧房子，也明白了他为什么可以明明白白放进自己口袋里的5000多万元奖金却一分不剩地全部留给了集体。

这是因为，他内心认为：百姓们的幸福生活还要继续提高，即便是“中康”“大康”后，我们还有社会主义的高级阶段和共产主义社会需要我们去建设创造；

这是因为，他内心认为：共产党人和当干部的这份为人民谋幸福的责任永无止境，即使是自己的生命结束之后还有一个留给后代什么样的精神遗产的问题；

这是因为，他这样做可以为下一代全面富裕后的华西村的党员、干部们树立榜样，让他们明白严以律己、克己奉公、艰苦奋斗，是共产党人永远不能丢失的本色。

像毛泽东当年在西柏坡时就告诫中国共产党人进城后不要忘了艰苦奋斗、联系群众的教导一样，吴仁宝在华西村刚刚成为全国农村“首富”时就以自己的行动，为全村党员、干部立下一条又一条“规矩”，这些“规矩”其实是把共产党人的先进性用老百姓能听得懂、理解得了的通俗话语，在村民和世人面前做出的庄严承诺——

比如他早期所说的“三不”：不拿全村的最高工资、不住全村的最好房子、不拿全村的最高奖金。这“三不”是当年吴仁宝给自己立的“规矩”，几十年来他全做到了。而正是他的这份无形的榜样力量，如今在村里担任重要职务的吴仁宝的几位子女也都做到了。2004年，他的二儿子按照承包责任书所规定的个人效益奖金达近亿元，但吴仁宝的二儿子最后只拿了一个零头，几千万元奖金全部归到了集体。有人做过不完全的统计，仅吴仁宝一家，在这近五年中，光他们应得的个人效益奖金归给了集体的数额至少有两三亿元之多！华西村民知道，凭吴仁宝的能力和知名度，他完全可以将自己祖孙三代的整个家族迁移到深圳上海，或漂洋过海，但吴家26口人至今全部留在村里，就连吴仁宝的孙女婿也从日本留学后回到了华西。

比如吴仁宝为了告诫党员干部们（包括富裕了的村民）要树立正确的人生观，他把自己一句常说的话，刻在村头最醒目的地方。这句话如今不仅成为村里党员干部们的座右铭，就连普通村民也能熟记熟背："家有黄金数吨，一天也只能吃三顿；豪华房子独占鳌头，一人也只能占一个床位。"

比如他要求党员得有"党心""公心"和"良心"。这"党心"就是党的先进性和原则性，就是为人民服务的全心全意。在"为官之道"上，吴仁宝以"办事认真、处事公正、经营廉政、百姓信任"为原则，他给自己的日常生活"约法三章"：一不沾酒、二不陪客、三不上群众家饭桌。

在华西村采访时，有一位地方领导曾经对我说了这样一句颇为耐人寻味的话：吴仁宝能把华西带成今天这个样，有其两大原因，一是他从未离开过华西村，二是他的心全部留给了这里的百姓。

在这句朴实的话背后有着丰富的内容：作为一个全国著名的村支部书记，用吴仁宝自己的话说，他是"大代表、中代表、小代表"都当过，"小劳模、中劳模、全国大劳模"也都当过，可就是一样他始终如一，那便是无论在怎样的情境下他都没有离开过华西村。即便是在当县委书记的五年里，除了继续兼任村支部书记外，每年他给自己规定的不少于 100 天的劳动时间里，多半是在华西村。至于村里有事，起早摸黑赶回华西处理更是"家常饭"。这也正是那年他意外落选党代表、从县委书记的职务上能够很自然地重新回到华西村、心甘情愿做一个农民的原因。

吴仁宝如今已是年近 80 岁的老人了，可华西村许多人跟我说：老书记的精神状态和工作干劲却始终像小伙子一样。他每天依旧四五点钟起床，然后开始走村串厂，一直到晚上九十点钟才回家。如果遇事开会回家就更晚。老伴怕他年岁大了，起早摸黑会出意外，所以总想跟在他后面盯住他，可最后准是连个人影都找不见。村里后来派一位年轻人盯他，结果被甩掉的还是那位年轻人。

“老书记的脚步，谁也赶不上。后来我们只好随他去……”村办公室的秘书告诉我一件非常有趣的事：吴仁宝管理的华西村如今早已是个庞大的工农文政一体的联合体，用日理万机来形容当家人的工作一点不夸张，可这位秘书告诉我，吴仁宝从来没有过自己的办公室。“工厂的车间、农村的田埂、托儿所的小板凳和农民的家里，就是他的办公室。老书记处理事情都是在现场，几十年如一日，因此养成了他从不要固定办公室的习惯。”

“那保镖、秘书呢？”似乎现今的一些“老大”都缺不了这些。于是我悄悄问。

“嘘！那是更不可能的事。”华西人嘲笑这样的问话。

我仍不死心，希望找到些“真实”的吴仁宝。机会有了，主人邀请我和几位陪同的当地领导同志吃饭，老书记说好是要来的。宴席比较丰盛，老书记吴仁宝真的到场了，可他笑眯眯地拿着装白水的杯子过来跟我们一个个碰杯，然后抱歉地说：我不能破规矩，你们自己丰衣足食吧！见老人淡出宴席，感动之余我仍悄声问一旁的服务小姐：老书记在隔壁吃什么？

“一碗清汤面。他最喜欢吃的……”服务小姐脱口而出，然后示意我上那边的门缝里往里瞧一下。我凑过去迅速扫了一眼，可不，老人正津津有味地吃着他的“清汤面”，桌上再没有其他任何碗盘……

吴仁宝的心全扑在了村子和村民身上！他风风火火的脚步，是华西村追赶时代的战鼓；他起伏不息的呼吸，是华西村民晨醒夜眠的乐章；他笑眯眯的神情，是华西村新的一天的幸福前奏……

华西村民在自编的一个文艺节目里唱出了他们对共产党和这位共产党老书记的心声：“老书记，是你让我们感受到了共产党的天大恩情，是你让我们坚定了走社会主义道路的信仰……”

“仁宝仁宝，国之瑰宝。风风雨雨，红旗不倒。”“年近八十，日夜操劳。健康长寿，人民需要。”一位领导在参观华西村、听到村民们讲述老书记吴仁宝几十年来一心爱民为民的故事后，感慨万分地欣然挥毫写下这样的话。

而我在华西村的日子里，从百姓嘴里听到的有关老书记的有福民享的故事，更是催人泪下——

那是30年前的事。村民孙良庆一家遇上了天灾，12岁的儿子不幸溺水而亡。孙良庆夫妇哭得死去活来，怎么劝也不行。眼看着好端端的孙家要垮下了，村上人着急，吴仁宝更是苦思冥想。俗话说：堆山的黄金换不了一个儿子。孙家的事怎么处理，也让吴仁宝一时感到为难。怎么办？那些天，吴仁宝辗转难眠了好几夜……有一天早晨，他将准备上学的自家儿子送出家门后突然喊了一声：“有了！”这天，吴仁宝来到孙良庆家，对孙家夫妇说：“水流走了不能收回，人死了不能复生。你们别再难过了，你们不是缺儿子嘛！我把我的儿子给你们。你们看哪个合适就挑哪个！”孙良庆夫妇一听惊异万分，说这哪成！吴仁宝拉住孙家夫妇的手深情地说：“不要客气了。我家阿四跟你们的儿子年岁差不多，你们看成不成？”“你要把阿四给我们呀？”这是孙家夫妇更没有想到的事，华西村的人都知道，吴仁宝最疼爱的就是小儿子阿四。“就这么定了！从今天起，阿四就是你们孙家的儿子。我吴仁宝是诚心诚意的，阿四也会跟亲儿子一样地待你们，直到为你们养老送终……”

“阿四”名叫吴协恩，后来真做了孙家的儿子，并且十多年后又跟孙家的小女儿结成夫妻，成了孙家亲上加亲的儿婿。吴协恩现在是华西村的“一把手”，吴仁宝在两年前把华西村的党政大印全部交给了这位“倒插门”的孙家儿婿。华西村“新掌门人”对当年的事记忆犹新：“从我记事起，父亲总是出力流汗在一线。他挂在嘴边的一句话是‘做官就应该想着百姓’。几十年来，我真正在他身边只有十个年头，那年他把我送给孙家当儿子时，也是父亲一生中陪我时间最长的一天。至今我仍记得当时他再三叮嘱我，说你从现在起，就有两个阿爹姆妈，你首先要孝敬和照顾好的是孙家的阿爹姆妈……”“阿四”吴协恩后来做得非常好，所以当他被推荐接替吴仁宝出任华西村“新掌门人”时，得到的是村民的全票赞成。

我们再来说吴仁宝，再来说他的“有难官当”。

吴仁宝是这样一个人：近五十年的“村官”生涯里，他把自己的人生追求锁定在“让百姓幸福，是我最大的满足”的目标上。而为了实现这一“满足”，他认为必须把“有难官当”的责任揽到自己身上。

这里的“难”，我的理解，它可能是创业的艰辛，也可能是创业的风险，还可能是创业成功后所要面临和处理各种非积极因素的能力。在所有的中国农民“精英”中，吴仁宝或许可以成为这种“难”的最多承受者——因为他主政的时间最长，他也是化解这种“难”的最智慧者和最聪明者——几乎没有一个“典型”和“精英”能像他五十年不倒，红旗一直迎风飘扬；当然他也是在这种“难”面前取得最大成功的收获者——他创造了无可争议的“天下第一村”。

今天的华西村，无论是党和国家的领导人，还是前去参观的普通百姓，或者外国元首与贵宾，人们异口同声地赞美她。这赞美的归结点自然而然会聚焦在创造奇迹的掌舵人吴仁宝身上。然而人们并不十分了解吴仁宝为之所付出的巨大心血和久经历练的一桩桩“难”事……

——创业初期，他的“做煞大队”名声差点让华西的一代年轻人断了姻缘，正因为他用一双坚定的脚板和一副“誓死改变旧貌”的肩膀，换得了“金凤凰”飞回新华西；

——“亩产吨粮田”的雄心壮志，却被人画成漫画，“吹牛大队”和“吹牛书记”的大字报贴满了村里村外。也因为他和群众用汗水与泪水凝聚了金色的谷山麦堆才把阵阵“妖风”吹散；

——五年县委书记，他呕心沥血，把江阴带向全国百强县之“老二”时，却因“农民政治明星纷纷落马风”的惯性，使他的政治生涯坠入低谷，重新做起一介农夫。对此他淡然一笑：正好他离不开华西，华西也离不开他；

吴仁宝还有一件不平事：1999年，选举全国人大代表，就因为他在外省贫困地区支持建立了多个“华西村”而得罪了本省某些地区本位主义的干部们，他又一次落选了本该属于他的荣誉——这一回吴仁宝更是淡然一笑：我已七十多岁，将有生之年全部奉献给华西百姓才是我吴仁宝的最大光荣。

古今中外，能成为一代伟人的人莫不是他们都具有超然的境界和坚定的信仰。作为农民政治家、思想家和实践家的吴仁宝，他的超然境界，来自于他为人民创造幸福和富裕后所获得的巨大的精神力量；他的坚定信仰，来自于他对中国农村情况的深刻了解和对中国农民所期望的美好前景的理解中的认定：一切当政者的基石，是建立在人民的支持与拥护上，而这才是最可贵与最可靠的。

吴仁宝无愧为国宝，他以自己的人生沧桑经历总结出的执政理念——“有福民享，有难官当”，折射的正是一个共产党人无私无畏的胸怀。

华西今日富甲天下，但华西的成功绝非上帝的恩赐，更非一帆风顺。如果说华西之所以没有像大寨、大邱庄那样的农业典型经历的大起大落，一个不可动摇和不可否认的事实是：华西村的掌舵人吴仁宝，与上面两个典型的主要领导者相比，除了具有更高的政治智慧外，那就是他的内心世界比别人更深刻地懂得“官”与民的关系如何摆放——在吴仁宝的眼里，任何时候都是以民为本、以民为主、以民为上。

他因此立于不败之地，他因此成为从田埂上走出来的带着泥土味的伟人。

华西村的“难”真的很多。媒体和公众人物中人们常见的吴仁宝很潇洒，其实走进吴仁宝的世界，你会发现他的“难”比谁都多——他脸上的道道纹路就是见证，只是他的这些纹路最终是以灿烂的笑容绽放给了人们……

60岁前的吴仁宝每天工作时间在十六七个小时以上，如今年近八十的他仍每天工作十四五个小时以上。用他自己的话说，“一个人很难活到100岁，但却有能为百姓干100年的工作时间。”

华西人对他们老书记的敬佩与敬爱，更多时候是在华西建设有难的关键时刻。老村民们都还记得：“造厂”岁月里，华西村与某市羊毛衫厂联营的企业多年亏损，一时成了华西人的“心头病”，似乎谁也无计可施。村民和干部们眼盯着年过花甲的老书记。“这事还是我来料理吧！”70岁的老人，担起这份千斤重担后，天天起早摸黑。有时为化解一个难题，半夜起床的吴仁宝竟会一连抽烟几小时，急得老伴不知所措。

“闷声发大财。”江泽民同志十分欣赏吴仁宝和华西村的致富之道，曾这样形容。而吴仁宝坦言：这“闷声”中常有惊涛骇浪。

九十年代末期，华西村的发展如日中天，一个更大的宏伟设想在华西村的年轻一代管理者中间开始酝酿起来——

“老书记，我们华西村应该集中优势企业，争取上市！”向吴仁宝提出这一问题的是当时主政华西工业生产的吴协东，他是老书记的大儿子。

吴仁宝瞪大了眼睛，目光带着少有的疑问，盯着大儿子，也盯着其他村干部：“你们论证了？”

“论证了。凭我们华西村目前的企业现状和未来的发展，上市是一条必经之路。”

“噢？必经之路？可我们是村办企业，许多方面与现代化大型企业还有距离……”

“而通过上市，正好能促进我们的企业在这方面得到完善……”

吴仁宝抬头扫了一眼自己的部下，他们都比自己年轻。“我——考虑考虑。”吴仁宝紧锁眉头，神情凝重地起身离开了众村干部。

“坏了，老书记反对我们搞上市呀！”有人着急起来。

“不用怕，我们把上市的认证和理由再准备充足一些，到我们正式讨论时可以向他再进一步说明嘛！”说这话的是吴协东。

几天后，关于上市决策的表决开始。当时在家的共12人，“一把手”吴仁宝如期到会。会场非常严肃，因为事先村干部们知道一句定乾坤的老书记态度依旧。

表决开始：11人举手赞成，1人反对，反对者正是吴仁宝。

少数服从多数。华西村历来如此。可老书记的这一张“反对票”分量很重，众干部无论出于什么原因，他们还是特别想听取他的“反对意见”到底是什么。

“华西村在全国人民心目中有地位，我们上市必须做到三点：股民满意，村民满意，华西村的牌子不能砸。现在你们说，我听着……”吴仁宝点上烟，一脸严肃地盯着众干部。

会场一时沉默。半晌，终于有人带头发言："好吧，我们就说说上市的好处和理由……"

于是，你一言，我一语，一场关于"上市"的争辩在华西村的金塔会议室热火朝天地说了起来，一直延续数小时……

"老书记，该听听你的意见了！"干部们的目光一齐投向吴仁宝。

此刻的吴仁宝，一改方才的严肃神情，又重新恢复了他平时笑眯眯的神态："首先我想说明一下，这几天我一直对上市持反对意见，其实并非我心意。我的真实心思是，华西的企业是我们农民办的工业，到底能不能与那些上市的大型企业融入一条轨道，并且有更大的发展，这是我最关心的事。在决策上市这样的大事时，我想听到大家的真实意见，所以我用了投反对票的方式来争取获得你们多方面的对上市的认证，现在我的目的已达到。我宣布：华西企业，要真正走出田野——上市啦！"

瞧这吴仁宝，他的"反对意见"也是为了获得更多的赞成理由啊！

1999年8月10日，这个日子对华西村来说具有历史意义。当掌声和钟声响彻深圳交易所的那一刻，世界金融市场上迎来了一个令十亿中国农民感到自豪的新客人，它就是代码为"000936"的华西村股票上市成功：3500万股的挂牌价8.3元，当日收盘时涨至21元!

上市是喜事，但弄不好可能就是最大的难事。吴仁宝日后坦言：面对一些风险大的难事，做领导的就得有勇气去担当，这是一个共产党人能否为人民谋幸福奔富裕的起码素质。

2003年对华西村来说，又是一个历史性的时刻。"七一"党的生日期间，华西村召开了第六届村党代会，经吴仁宝本人提议，他把当了48年华西村"一把手"的岗位，留给了39岁的年轻人，自己则退居华西村总办主任和集团公司副总经理的“二把手”位置。

一个中国行政级别最小的官儿——村支书的退位，却引发了国内外几百家媒体的报道。吴仁宝的“退位”一石激起千重浪！这当口有两个问题：一是中国的官员一般只往上升不往下降，尤其是“一把手”极少主动退至“二把手”位置。吴仁宝自己说：“这是又一种‘有难官当’。我早先说过，干到 80 岁，可 2003 年华西村当时的形势非常好，我来了个急流勇退，一则是希望我不在糊涂的时候交权；二则是想破一破‘一把手’不能退为‘二把手’的先例。我在华西村干了 48 年，不用自己树碑，群众也是有眼睛的。通常情况下只要我本人不言退，也许可以在‘一把手’的位置上一直干到闭眼那一刻。但这实际上是给后人和整个华西村的事业留下一个很大的难题。对一个可能是功绩无量的人来说，他能不能自觉地、真心实意地把这样的难题由自己去解决好，其实也是考验共产党人彻底的无私精神。”

吴仁宝在他晚年的时候，又一次以自己的行动，让人们体味到他这位老共产党人的崇高胸怀。在解释自己“为什么不全退”时，吴仁宝再一次申明：“我身体好，经验也多一些，华西村现在正是一步几个台阶的高速发展期。作为一名老党员，一名与华西村同呼吸共命运的老村民，我仍然想为百姓做些力所能及的事。”

一头黄牛拉犁，日耕百亩，我们可以称之伟大；而一只蚂蚁，以千日之功啃下大象骨头，同样是伟大之举。吴仁宝的人格力量，正是被人称道的这种蚂蚁啃骨头的伟大精神！

这就是吴仁宝：78 周岁的一个老人，依旧天天四五点钟起床开始“走村串厂”，一直到晚上八九点钟回家，村子里能揽的事他照样事无巨细地负责到底。

成为“二把手”的吴仁宝，在村党委新班子上任后做了两件事：

一是建议“一把手”带领全体新班子人员借上京城开会之机，到人民英雄纪念碑前向革命烈士宣誓。“革命先烈为共产主义事业，头可断，血可流，我们建设社会主义更美好的新华西，就要而今迈步从头越……有福民享，有难官当！奋力冲刺今年100亿，夺取明年200亿！苦战三年，拿下可用资金50亿！”阳光明媚的天安门广场上，吴仁宝又一次站在华西村众干部的最前面，高高地举起右拳，以一个共产党员的坚定信仰，引领华西村的年轻一代领导者，吹响了新时代的战斗号角。

当年吴仁宝曾带领百名村干部在南京雨花台雨中宣誓，如今在天安门广场的人民英雄纪念碑前的宣誓，与18年前的那次宣誓已今非昔比。此时的华西用一位中央领导的话说，就是“好得不得了”，可吴仁宝并不这么认为，就在别人都在高唱“大华西”时，他提出了“现在华西要小”的理念。

这便是他当“二把手”后所做的第二件“难”事。

“我国已经加入世贸组织，产业结构调整势在必行，迫在眉睫。我们要想抓住机会再上台阶，眼下最要紧的是掌握‘三车原则’……”班子会上，年轻的新成员们围聚在老书记跟前，听他的神机妙算：“这‘三车’是，现有的企业要开稳车——开足马力，狠抓效益；已投的新项目要开快车，早投产；未上的项目赶快急刹车……”

“有这么严重？”

“听老书记的没错。哪回他的决策出现过岔子？”

吴仁宝摆摆手：“错了，哪回都不是我的英明，是中央政策的英明。你们看着吧，不出几个月，中央的宏观调整就会出台……”

果不其然，在华西按照吴仁宝的建议，迅速对集团企业进行“三车战术”大调整之后，这年11月，中央的宏观调整政策出台，不少盲目追求规模的企业和地区因原材料价格上涨等因素出现了全面衰退的被动局面。可华西村的工业企业由于下手早，丝毫未因中央的宏观调整产生消极作用，相反他们借着此次宏观调整的有利时机，瞄准那些与市场对路的产品，加足马力，使集团当年的经济效益飞速上升，大大超过了年初确定的2003年全村工业总产值60亿元的目标，首次达到100亿元。正因为吴仁宝能在重大的历史转折关头，有勇有谋，使得华西村近两年的发展速度均以年增长100亿元的速度递增。1985年，吴仁宝为“苦战三年，目标亿元”而带领百名村民骨干在南京雨花台前盟誓的18年后，华西村一年的经济效益就是当年的一二百倍！也就是说，如今的华西村，每年都在创造一百个以上的新华西！

正是这样的积聚，华西村才有今天令世人感到羡慕的幸福与富有。也正是华西村百姓的幸福与富有，吴仁宝在接受媒体采访时能坦然地直面关于华西村是否有他吴氏“家族制”问题并能这样回答：“确实，在华西村的32个正副书记中有我吴仁宝家5个子女。但我想告诉大家的是，他们能当书记不是我的指定，他们都是通过数十年的工作，在取得群众公认的基础上，又经过党代会选举和上级组织考察批准后才当上书记的。不错，我吴仁宝家的子女确实在华西村都是官，但他们不是为我吴仁宝家做官，而是为华西村百姓在做官。有人曾经怀疑华西村那么大的家底，是不是都掌在我吴家的手里，恰恰相反，我要告诉大家的是，在华西村的历史上先后有6个人当过主办会计，但没有一个是我吴仁宝家的。华西村的账，从1961年到现在的45年账目，都可以公开给世人看。可以这么说，如果在华西村有我吴仁宝这个家族的概念，那么我想告诉大家的是，吴仁宝家的人都在为华西村的百姓做事，他们以自己的党员身份，在不断实践共产党员先进性中为自己的乡亲们贡献着每一天、创造着每一份财富。华西村有今天，与我家的这些子女们的心血和汗水分不开。我想假如中国有更多的像我吴仁宝这样愿意而且能够给百姓带来幸福和富裕的家族的话，我们全中国的百姓日子一定会比现在好得多，我也因此会感到无比欣慰……”

吴仁宝的这段话是在中央电视台“新闻会客厅”中说的，他能面对十三亿中国人如此不加掩饰地袒露心声，没有共产党人光明磊落、无私坦荡的足够底气是绝对做不到的。

有一位参观华西村的外地农村干部，在惊叹这儿的百姓与干部那么融洽团结奔富裕的景象后，找到吴仁宝，问他“为什么你这儿这么好，我们那里就搞不好”时，吴仁宝反问：“你当了几年村支书？”对方回答：“三年。”吴仁宝笑，说：“如果你跟我一样当满 48 年的书记，你那儿也一定很不错的。”

是啊，在人民当家做主的天下，假如一个领导者能在岗位上像吴仁宝一样执政近半个世纪，如果他无所作为，如果他不能为百姓谋幸福，相信他无法主政如此长久的时间。吴仁宝说得好：“我们华西村的党员、干部数年来坚持‘有福民享，有难官当’，其实体现的就是‘权为民所用，情为民所系，利为民所谋’的立党为公、执政为民思想。党员干部能够做到战胜困难和艰苦奋斗于人民群众之前、享受和享福于人民群众之后，老百姓就会和我们站在一起，同心同德挑担子，那么什么样的人间奇迹都有可能创造。”

看一看华西村的今天，我们感受到的这个人间奇迹发展的原动力也就在于此。

吴仁宝的“不老”秘诀：关于富裕和共同富裕的理念

每一位到华西的中外人士，最惊叹的是：实在想不出当今世界上还有比这里的农民更富裕和幸福的人了！住得宽敞高档——

每户 400 ~ 600 平方米的别墅；吃得健康绿色——而且基本免费；穿得漂亮时尚——即便是老年人，他们身上的一套“仁宝”毛料衣服价格也都是一两千元；用得现代超前——你城里人都敢说“轿车要买不带盖”的吗？“不带盖”的是什么？跑车噢！

1998 年，当时的江泽民总书记来华西视察，他走进农户，漫步绿色田野，登高眺望鳞次栉比、造型别致的别墅群，连声赞叹：华西人民幸福！幸福！真幸福！

那是七年前的华西，七年前的华西综合经济实力还不足今日华西的十分之一。我想，假如江泽民同志今天若能再到华西看一看，那他可能会这样赞叹：华西人民幸福！幸福！太幸福了！

华西人民确实太幸福了。这种幸福是实实在在的，看得见的，是洋溢在每一个华西村民脸上的，是光照我们这个时代和民族的。同时也让当今世界上的很多国家的人士敬佩与羡慕——

在华西采访时，巧遇一群美国游客，他们兴奋地告诉我：“华西这样的社会主义，我们也要！”

我们知道，近年有本美国人写的书叫《重新发现中国》，在国际上影响很大，那书中写到华西村时有这样一句评语：“华西村是中国的新加坡”，并称吴仁宝是“中国的李光耀”。我们还知道，五年前就有一个日本访问团到华西村参观后这样说：“华西农民的住房面积、拥有的车辆、家用电器等都已超过美国、新加坡和日本了。”

村党委分管宣传的孙海燕给我讲过一个非常有意思的故事：前年中国民间组织了一个百对金婚老人“韩国观光团”，吴仁宝夫妇作为特约嘉宾被邀参加。这消息被韩国总理得知后，非要见一见吴仁宝。可按照日程安排，吴仁宝他们第二天就要离开韩国。“不行，我的国务会议可以停一下，但中国的吴仁宝先生我一定要见一见！”韩国总理知道自己预约的会见时间与吴仁宝他们回国的时间发生冲突时如此说。于是唯一可能的会见时间只能是在第二天一早吴仁宝他们离开韩国前的那一个小时。为此，韩国总理真的特意停下正在主持的国务会议，专门将吴仁宝接到总理府。韩国总理把能与“中国奇人”吴仁宝见一见视为“不可多得”的机会，最后他满意而开心地与吴仁宝进行了长达几十分钟的亲切会面。

正如一位德国政要所言：“华西村的富裕，让我们亲眼见到了马克思早在一百年前所畅想的那种共产主义社会和社会主义社会的真正富裕。”

关于富裕，各个时代和各个国家的人都有不同的理解。不过，所有到过华西村的人通过对这儿的观光和认识后所产生的富裕概念，通常能得出一个共识，那就是：华西人的富裕确实是真正的富裕，因为它包含了物质和精神两方面。

而这，也正是吴仁宝这位老共产党人坚守的创富理念。

在华西，你可以在许多地方听到那些咿呀学语的孩子或者鹤发童颜的老人，不时地振振有词地背诵着《十富赞歌》：

智能富——学文练艺成才富
勤劳富——爱岗敬业辛劳富
节俭富——精打细算聚财富
守法富——遵纪守法健康富
守信富——恪守信用客多富
团结富——家族和睦同心富
帮带富——邻里相亲互助富
育才富——育好后代子孙富
集体富——巩固集体共同富
爱国富——国家强盛安定富

吴仁宝绝对是个“田野学问家”，他的语言概括能力和表述能力堪称大师。农民喜欢他编写的这些朗朗上口、通俗易懂的顺口溜。与《十富赞歌》相配的还有他亲自编写的《十穷戒词》：

逐渐穷——多因放荡不经营
容易穷——家有钱财手头松
懒惰穷——朝朝睡到日头红
无才穷——不学无术人无用
心散穷——家族不和常内攻
受骗穷——不识良朋钱骗穷
违法穷——违法贪财进牢笼
无度穷——浪吃浪用山要空
失算穷——算计不好一世穷
三害穷——嫖赌吸毒彻底穷

不难看出，今日华西村的富裕，是建立在吴仁宝按照马克思主义、毛泽东思想、邓小平理论和“三个代表”及科学发展观的基础上，具有鲜明的中国社会主义新农村特色的富裕理念。“艰苦奋斗，团结归口，服从分配，实绩到位”这十六个字，是华西人用几十年创业的艰难历程，从一无所有到创下今天“天下第一”的辉煌岁月中凝聚出的“华西精神”的核心内容。这十六个字集中体现了华西人的人生观价值观，是建立“富裕华西”的根基所在。

早在华西村脱贫的20世纪70年代，吴仁宝就以共产党人的远大目光和唯物主义者的胸怀告诫那些日趋富裕的农民兄弟姐妹们：人早晚要死，生前积累再多的物质财富对死者来说毫无意义。因此人活着的时候，我们人人都有权利争取生活得更好些。但再好的生活也总是有限的，所以大家在一边创富和享福的同时要有“三不忘精神”，即不忘国家、不忘集体、不忘左邻右舍。正是基于这种富裕理念，吴仁宝才把他心中期望的中国农民的幸福、富裕人生观——“一人富了不算富，全村富了才算富”的思想深深地烙在每一个华西人的心目中。华西人也因此有了靠艰苦创业、靠勤劳俭用、靠知识才能、靠诚信守法获得富裕的基本行为准则。

每每参观者看到华西人拥有巨大财富，又过着无比幸福富裕且太平的好日子时，总有些解不开的谜要讨教吴仁宝：为什么也有个别地方、个别人的财富比华西人更多，可那儿的社会风气异常恶劣，有钱人也不能过安稳的日子？这时的吴仁宝总会笑眯眯地告诉友人一个“秘密”：因为华西村没有暴发户，没有贫困户，只有家家户户富。

这个“秘密”听来简单，其实折射的内涵无比丰富。这也是吴仁宝一生追求“为民造福”的基点，即社会主义的真正富裕必定是共同的富裕，共产党人要实现执政为民的最终目标就必须让所有的人民都富裕起来。而人民要实现自身的富裕与幸福，则需要建立在两个基本点上：领导人民的党员干部们的人生观与价值观和民众百姓自身的人生观与价值观。

华西村之所以了不起，他们恰恰是在这两个基本点上实现了统一和一致。在我看来，吴仁宝用近五十年时间所创造的具有中国特色的社会主义的“天下第一村”，其最有价值的并非是村民们人人都在享受的洋别墅、百万年薪、绿水青山、金塔观景，而是他精心培育和制造的华西人的人生观与价值观，亦可称其为华西人的幸福富裕观。

这是吴仁宝最具魅力的地方。

这是吴仁宝作为一名共产党人忠实履行党性的最具魅力的地方。

这是吴仁宝作为一个当代农民政治家实现一生辉煌的最完美的地方。

任何一位伟人的伟大之处，在于他们不仅能提出伟大的设想，更在于他们能把这种正确的设想变成现实。吴仁宝是普通人，一位个头不足一米七的普通农民，但他又是一位伟人，一位将马克思、列宁、毛泽东、邓小平等领袖们倡导的社会主义学说和共产主义理想，在华西村实践并走向成功的人，而在新世纪的这几年里，他把“三个代表”的重要思想及科学发展观的思想运用于华西村的发展实践之中，甚至达到了几乎尽善尽美的境界！

毛泽东说过：中国的问题，是教育农民的问题。我补一句：谁把中国的农民问题彻底解决了，谁就是中国最伟大的人。

毛泽东的伟大在于他把中国苦难的农民带到了当家做主的新中国。

邓小平的伟大在于他把当家做主的中国农民带到了如何走社会主义的正确轨道上。

华西村的农民并不多，但他们走过的路就是所有中国农民都将要走的路。现在的华西村农民解决了今后几十年里中国九亿农民需要解决的问题，我因此有理由这样称赞吴仁宝：他同样是位了不起的伟人！

你信与不信无关紧要，假如你有机会到华西走一走，再跟华西的农民们畅谈畅谈，或者有机会在那儿生活一段时间，那时你再重新检验一下我的话并非言过其实。

华西人形成的一整套幸福概念和富裕理念，是建立在吴仁宝几十年始终如一地坚持对农民们进行务实的不懈的思想教育之中。

比如他首创的“华西村精神文明开发公司”，专司全村的政治思想教育工作和精神文明建设职责，将教育农民的“精神活动”与抓经济中心工作齐头并进，在村委工作中建立和形成了“两个拳头”都硬的长效机制；

比如他亲自担任艺术指导的“华西村艺术团”，几十名队员全是专业演员，每年在华西村演出场次达300场以上。党的方针政策和村里的思想政治教育，在这里就是通过群众喜闻乐见的说唱弹拉形式和生动活泼的表演，影响着百姓的日常生活……

曾经有位研究中国农民历史的学者说过：中国的农民可以创造历史的辉煌，但中国的农民却很难创造长时间的辉煌历史；中国农民可以依靠智慧和勤奋获得财富，却难于让财富变成永远的幸福与富裕。吴仁宝也许没有读过这位历史学家的著作，但吴仁宝却同样懂得中国农民的优点和弱点。因此他认为：要让富裕了的农民能够保持长久的幸福、富裕和安定的生活，最关键的是让他们不仅“口袋富”，更重要的是要让他们“脑袋富”。

“口袋富”和“脑袋富”，是吴仁宝创造的中国农民“两富理论”，也是他在华西村成为“天下第一村”后始终高举的执政航标。

“口袋不富”，就别谈“脑袋富。”“口袋富”才有“脑袋富”的基础。而“脑袋富”了，“口袋”才能永远的富。“口袋”和“脑袋”一齐富，中国农民们在建设中国特色的社会主义道路上才能不断朝着“小康”“中康”和“大康”的目标步步登高。听吴仁宝的“两富论”，就像听一位大师的哲学课。

“脑袋富”，构建的其实就是精神世界。吴仁宝构建的华西农民的精神世界，是以“六爱”为准绳。这“六爱”是：爱党爱国爱华西，爱亲爱友爱自己。这“六爱”看似平常，但细细品味，内涵深刻而精粹，它包含了吴仁宝这位老共产党人多少思想与智慧的凝练过程！

“华西村的农民不是天生比别的农民崇高，他们也有农民头脑中传统的陈习陋规。当经过艰苦创业后华西村富裕起来时，村里就有人曾经公开称我是‘华西的太阳’‘华西的救星’。我发现后立即严肃地批评和告诫大家：我吴仁宝算什么？我吴仁宝仅仅是做了党教育我应该做的那一点贡献而已！华西的一切，包括我吴仁宝的一切，都是靠的中国共产党。而且我反复告诉村民们，没有共产党，我吴仁宝这几十年只会改一个字，那就是当年我是放牛娃，现在我是放牛翁。我之所以这样告诉村民，就是让大家在任何时候都不要忘了华西村所取得的任何一点进步、积累的任何一点财富，都是在党的领导下实现和成功的。新中国的农民要实现真正的永远幸福和富裕，就必须把爱党放在首位，它也是我们所倡导的'六爱'的灵魂与核心。”吴仁宝坚定而有力地挥动着拳头，我看到在他身后是一面闪闪发光的红色党旗……那党旗，在这位老共产党人心目中是一个不可动摇的信仰；这信仰，在日久天长的一次次雨露滋润下成为每一个华西村民心目中的信仰！

于是，爱国，也就变得自然了。任何一个民族的百姓如果不爱国，就不可能获得应有的幸福和富裕。因为华西人最明白：他们创造的所有财富与这个国家和民族的命运是始终关联在一起的。没有“大家”的安宁与美好，何来“小家”的欢笑与歌声？不用说，“爱华西”是华西人自己的本分，一个不爱华西的人怎能成为华西人？华西村从吴仁宝这一代起，爱华西成为每一个村民们凝聚团结战斗的力量源泉和同心同德奔富裕生活的精神支撑。吴仁宝告诉我，他如今快八十岁了，他现在越发最满意的一件事是：村上走出去上大学、出国留学的年轻人，无一例外的全都回到了华西。“我们华西村赚得最大的‘买卖’——是我们培养了自己的一代大学生、留学生，结果他们现在学业完成后不仅自己回到了村里，而且大多数还带回了一个……”吴仁宝说的是这些华西村年轻人，他们在回到村子时，也将同样高学历的未婚妻、未婚夫或者已经是爱人的“另一半”也一起带了回来。

“你说是不是我们赚大了？”吴仁宝对此实在喜形于色。

正是这种充满感情和希望的“爱华西”教育的深入人心和广为传播，如今从全国各地飞往华西村的“金凤凰”（大学生）达2000余人，而且每天每月仍有数不清的“金凤凰”飞向这里……华西正是依靠这些本地长大的和外面飞来的“金凤凰”，在充满希望和活力的快速道上朝着多元的、现代的、健康的、科学的发展方向越走越快，实力提升得越来越快……

“外国人弄不懂我们华西村的农民为什么有那么多的高水平、掌握先进科学技术和生产经营管理本领的人才。他们哪里知道，我们今天的华西村民早已不是那些只会挑担锄草、只会面朝黄土背朝天的农民了，他们有北大清华的名牌大学毕业生，有留学日本、德国回来的硕士专家……拿我们的外贸公司来说，百分之九十的工作人员都是大学以上的学历，别看他们人在我们田野里的村庄，可他们每天的工作是通过网络和电信与世界各地联在一起呢！”在去新建的一排“总统别墅”的路上，吴仁宝指着从他身边走过的一群朝气蓬勃的年轻人对我说。就在这时，我遇见了“华西村的郭凤莲”——赵毛妹。这位曾经与吴仁宝并肩战斗叱咤风云的铁姑娘队队长，现在已经到了华西村民退休的年龄（女50岁），可赵毛妹说她身体好，所以还在村里的旅游公司“帮忙”。“老书记对我们这些参加创业的老一代村民特别照顾，退休发一份全工资，你如果身体好，还可以反聘到村集团公司某个单位做点事。我在任时抓过旅游公司，所以现在还在那儿干点事。你是北京来的，听听我的外语怎么样……”快言快语的赵毛妹叽里咕噜立即从口中吐出一串旅游英语。

“比起村上的人，我算差的呢！”赵毛妹说。

我相信她的话，因为吴仁宝对村民的文化教育和素质提高，从六十年代他刚当村支书那会儿就已经十分重视。而当华西村富裕后，他把抓村民知识教育的提高纳入到了“爱华西”的重要内容。孩子从小学到中学实行的是全免费教育，村民包括老人可以参加各种培训班和业余学校。所以现在的华西村民能说外语、冷不丁拿出个留学毕业证书给你看看，是太自然的事。

我还知道，吴仁宝从八十年代初开始当第一位“外来工”进入华西村后，他就把“爱华西”的教育，扩展到凡是在华西村工作的所有人。“我们华西村没有‘打工仔’‘打工妹’一说，我们有句话很流行：到了华西村，就是华西人。”当年怀揣300元盘缠来华西打工的小青年，如今已经是华西村党委副书记、年薪和奖金能拿150多万元的孙海燕谈起这方面的事，格外激动：“在我们华西的外地务工者，可能是全世界最幸福的，因为老书记从来不把他们看作是外人，他也要求华西村所有的村民都要像对待自己的家人一样对待这些外来务工者。每年在我们华西最热闹的一次活动是由老书记主持的‘千张桌、万人宴’。顾名思义，就是我们要摆上一千张桌、由一万人参加的大宴会。那场面确实气派，确实热闹，也确实感人。一千多张桌子啊，一两万在我们这儿的务工者参加的宴会！想想看国家总理所主持的国宴才有多少人嘛！”孙海燕说你何作家要是有机会参加一下华西村的“万人宴”，一定会产生不同凡响的灵感。后来我看到了记录“万人宴”的照片，其场面确实壮观。

有个数据告诉我，现在在华西村工作的外地人达两万多，他们同样以“爱华西”的精神为华西创造更加富裕的新华西，同时也每年从华西村赚回3亿多元的工钱。

在吴仁宝口中，经常能听到他讲的一则非常有趣的“华西村买官”的故事：说的是一个叫杨永昌的人，此人原来不是华西村人，干个体户，脑子灵活，经营能力和经营效益都不错。到华西村前，每年自己已经能盈利100多万元了，在当地也算个有点名气的小老板。1997年杨永昌到华西投资办个体企业，三四年后他的年收益已达到四五百万元。可是钱越赚得多，杨永昌想当“华西人”的念头越强烈。2002年他以参股的形式，把自己几百万元的资产全部奉献给了华西村，终于实现了当华西人的愿望。杨永昌成为华西人后，由于他勤奋工作，又在经营上有一套，很快被吴仁宝和华西村党委看中，让他担起了目前占华西工业集团三分之一总资产的华钢厂总经理。杨永昌不负众望，使这个钢厂的效益直线上升，每月都能为华西村实现可用利润3000多万元。杨永昌从一名“外来个体户”，到如今成为名副其实的华西人，而且成为执掌“天下第一村”最大企业的华钢“一把手”，还身兼华西村党委副书记等要职，吴仁宝因此笑言杨永昌的“官”是买来的：“他用自己几百万的个人企业资产和每年给华西创造几个亿利润的贡献‘买’来的‘村官’！”采访杨永昌时，我才发现这位“买官”者确实非常有才气和悟性，更令我意外的是农民出身、干过十几年个体户的杨永昌还有很让人敬佩的思想境界，他说：“我当时花10万元买个华西户口，绝对不是为了赚更多的钱，就是觉得当华西人自豪、提气。后来我把个人企业转制给了村里时，又有亲戚说我傻，说人家公的都转私了，你倒好，将私的转公了！但我觉得过去干个体户就像划着一只在风浪里漂流不停的小船，华西村则好比是只大船，它在吴仁宝老书记的掌舵下，行驶得稳当又快速。我个人的价值要想更好的体现，就必须跟着这只大船走。特别是到华西几年里，我亲眼耳闻目睹老书记全心全意为人民谋幸福的无私行为，所以我想自己是个年轻人，要向老书记学习，也应该像他那样多为社会担点责任。”

像杨永昌这样的能人，后来成了华西的主人者为数并不少，他们的共同特点都是因为被华西和老书记吴仁宝的魅力所吸引。

曾有人对吴仁宝说：有了爱党爱国爱华西就可以保证华西长富了，又何必再要添“爱亲爱友爱自己”呢？吴仁宝对此恰恰认为，如果光讲爱党爱国爱华西的“大道理”，不讲“爱亲爱友爱自己”的“小道理”，那华西的农民就无法实现和保证“共同富、健康富、长久富”的社会主义幸福生活的最终目的。“我们华西村不培养那种不讲良心、没有亲情的人。对普通农民、平常百姓来说，树立他们的自尊自立自强自爱意识比什么都重要。我们华西不是生活在与世隔绝的地方，周围都是农村。我们华西村的农民能不能保证富了以后不去触犯法律、不被社会上的那些歪风邪气和社会陋习沾染，这是谁也说不准的事。而农民一旦沾上那种毛病，再富又能富得了几天？所以‘爱亲爱友爱自己’，尤其是‘爱自己’这一条特别的重要，它是我们实现共同富裕、健康富裕、长久富裕的基础，像金塔的塔基，一定要夯实！”吴仁宝给我讲起了村上一笔一直没有发出去的“特别奖励金”的故事——

八十年代初，销声匿迹的赌风又开始到处横行。华西村民中也有人“小弄弄”（搓麻将搞小赌），还出现过一位创业功臣孙某某到外村赌博的事。吴仁宝最担心富裕起来的村民沾染黄毒赌，一旦沾染上了就等于染了瘟疫，再富也会被折腾光。为此，吴仁宝挥泪斩马谡，重罚了与自己并肩创业的孙某人4个月退休金。同时多次登门做思想教育工作，帮助认识赌博的危害，直到孙某自己彻底省悟为止。

可没过几天，在华西村邻乡又传出“华西村不赌是假的，吴仁宝也在赌”的话。“说我赌你们信吗？”吴仁宝在村民大会上反问大家。后来调查证实，有人为了自己想赌，就放言“吴仁宝也在赌”的话，目的是想在公众中造成“吴仁宝能赌，我们也能赌”，从而以假乱真。

这天，吴仁宝悄悄找来村副主任，对其如此这般一番耳语。“好嘞！”村副主任欣然受命。于是第二天早晨，在华西村邻近的几个村子和市镇上贴着一张张醒目的《通告》，落款是“中共华西村委员会、华西村民委员会”。《通告》内容这样写着：

赌博是一种违法行为。经村党委和村民委员会研究决定，请兄弟单位对华西人监督，凡发现华西人在本村或外村赌博者，均要举报。举报准确者，一人一次奖励1000元，当场兑现，并给举报者保密。凡发现华西人搞迷信活动者，也适用于上述规定，举报一人次，奖励500元。

此通告自公布之日生效。

“嘿，华西村就是不一样！悬赏捉拿自己村的丑事，这吴仁宝抓经济有套套，你瞧他抓精神文明更有新招数！”《通告》激起周围乡村对华西村和吴仁宝的一片赞赏和议论。

一星期、一个月过去了，没有一个举报人出现。一年后，人们发现又一份出自华西村的《通告》贴在外面，上面这样写：

关于检举华西人参赌得奖的补充通告

过去，华西为禁止赌博，曾在四周村镇贴过通告：凡发现华西人参与赌博，一经核实，奖励举报人1000元，至今未有人领过这份奖金。为防止今后可能有个别华西人参与赌博（男60岁、女55岁以上的退休老人娱乐性活动除外），自即日起，凡检举揭发华西人参与赌博，一经查实，奖励举报者人民币10000元，并为举报人保密。

特此通告。

华西精神文明开发公司

1994年7月17日

"这份《通告》后来还堂而皇之地登在了《江阴日报》的报眼上呢！"孙海燕告诉我。

"后来有人领过这10000元的奖励吗？"我问。

"没有。老书记提议专设的这个奖已经十余年了，一直没发出一分钱。"孙海燕似乎有些"遗憾"地笑着冲我说，"10000元奖金当时真吸引了不少外村人，据说有人专门整天在四处寻找看看到底有没有我们华西人参加赌博的，结果他们很失望……"

"我想肯定又是吴仁宝书记的一个招数：他让外人给华西人当义务监督员！"

"对对！"孙海燕和我不约而同地大笑起来。

吴仁宝就是用"口袋富、脑袋更要富"的"两富论"，成功地教育华西人避免了农民们易犯的"小富即安、不思进取、财大气粗、目无法纪"等陋习和毛病，家家户户都成为"口袋越鼓、脑袋越求进取"的新型农民家庭。这也正是吴仁宝能使华西村几十年红旗不倒的最大贡献点。

但吴仁宝心里明白，农民的素质和农民教育问题能否得到提高，关键是领导和影响这些农民的村干部。吴仁宝因此在狠抓村民思想教育的过程中，始终把强化村干部的教育工作放在最重要的位置，而且他所采取的方式方法也颇为特殊。

比如在华西村我看到两件事印象特别深：

一是现行的华西村党委组织结构。通常一个党委会，书记和副书记，下面就由几个委员组成。书记作为一个班子的"班长"负有全责，权力自然也很大。然而在华西村情况不是如此。村党委书记、副书记之上，还有一个"常委会"。

"我们在书记、副书记同级还设立了一个21人的常委会，目的就是为了支持和监督正副书记工作。在农村基层组织，一些地方容易出现什么事都是书记、副书记说了算，有的更是书记一人说了算。在我们华西不行，重大问题，必须由党委或党委常委集体研究决定。这样可以避免那些在群众中威望越来越高的主要领导人居功自傲、专横跋扈，最后把好端端的旗帜给掀倒了……”吴仁宝对这一农村基层组织的创新做法颇为满意：“华西村几十年能够立于不败之地，我们的主要领导也没有出现‘禹作敏现象’，重要原因之一，就是与这样的组织机制有关。”

第二件事是在“富得流油”的华西村，有一个旧窑洞。这个窑洞与华西村同龄，也许是今天唯一还能见得着的老华西村的一个旧物，华西人称它为“创业窑”，干部们还喜欢将它誉为“华西工业的发源地”和“华西精神的铸造地”。那天我特意走进这个每年能吸引百万外地游客的“华西革命圣地”，看到狭窄的窑洞内有十几张木凳，窑壁四周挂着《延安窑洞放光芒》《吕蒙正破窑攻读》《薛平贵破窑接宝钏》《包龙图破窑迎国太》等六幅与窑洞典故相关的“农民图”。村干部告诉我，华西发展几十年来，许多重要的决策、规划几乎都是吴仁宝带领干部们在这里做出的。

“老书记十分敬佩延安窑洞精神，他把华西的这一创业窑洞当作教育干部时刻牢记艰苦奋斗、永远保持谦虚谨慎的场所。从某种意义讲，华西村之所以能富甲天下而干部和群众依然保持旺盛的向上精神，与这窑洞精神有着密切关系。每当村里需要做出重大决策时，老书记就会带我们走进窑洞。而每当我们走进这里，再静静坐下来想一想、议一议，心态和处理问题的方式方法就很不一样了，就会有种饮水不忘掘井人和不断奋发进取、用更高标准要求自己的精神与心态……”一位村干部这样说。

片刻的窑洞感受，使我也相信了这位干部说的话。

那一刻，我的耳边突然回响起吴仁宝常说的一句话：“华西村坚定不移地发展集体经济，目的就是为了让更多的人共同富裕起来，让已经富裕起来的人能够长久地、健康地、越来越好地富裕下去。这就是我吴仁宝一生的追求和愿望。”

有道是，一个人做好事不难，难的是一辈子做真正的好事；做一次先进不难，难的是一辈子都是真正的先进。当代共产党人的先进之处就在于始终能够走在时代前列，心里装着群众，胜不骄，败不馁，带领人民群众走上富裕，让已经富裕的人们不忘本，朝着更高的标准去实现更美好的幸福生活，同时力所能及地为实现“一村富了不算富，全国富了才是富”的社会主义大目标贡献力量。吴仁宝表里如一，以自己的模范言行很好地诠释了我党“立党为公，执政为民”的信仰，同时带领华西人民在中国全面建设小康社会的伟大实践中努力无私地奉献并实现着自己的美好人生。

华西村最初只有 0.9 平方千米面积，如今华西村的版图已经达到 30 多平方千米。人口也由过去的 1600 来人，发展到现在的 30000 多人。“建设大华西，发展富华西”，这是吴仁宝“创富理论”在新的历史条件下的提升和发展，也是他毕生追求“共同富裕”的理想在实践中的可贵探索。

一位长期在华西村进行社会调查的学者有过一段很精彩的概括：

共同富裕是人类一直追求的美好理想。可沧桑变，乾坤转，一次次社会形态嬗变，一次次生产关系变革，都未能使这一美好的理想变为现实。莫尔的“乌托邦”、康帕内拉的“太阳城”、欧文的“新协和公社”和“皇后林新村”，无论理论的还是实践的，都在无可奈何中坍塌了！于是恩格斯大声疾呼：“为了使社会主义变为科学，就必须首先把它置于现实的基础之上。”共同富裕是社会主义的本质规定，历史将实现共同富裕的大任降在中国共产党及其建立的社会主义制度身上！吴仁宝高擎共同富裕的旗帜，从华西走向邻村，从东部走向西部。他用行动在这面旗帜上写下了共同富先要集体富，共同富必须家家富，共同富更需精神富，共同富要先富帮后富等鲜明的观点并将其置于“现实的基础之上……”

早在80年代，当华西村已经开始富裕起来时，吴仁宝就教育自己的干部和村民时刻不要忘记把幸福的阳光与温暖播撒到周边的左邻右舍，而这也是他在近十年间忠实履行“执政为民”和追求“共同富裕”的一种新境界、新视野的实践过程。

吴蕴芳，现今的大华西村民，以前她是紧挨华西的前进村村民。她说：“我们村上的人有句流行语，叫作‘儿好女好，不如华西好’。前进村在50年代时与华西村同属一个大队，那时吴仁宝也是我们的书记，后来行政分家，我们就成为独立的前进村。可前进村不‘前进’，1988年时华西已成‘亿元村’了，我们村却到年底连村干部的工资都发不出来，还倒欠村民6万元。记得那天外面下着雨雪，刮着寒风，我们村上的干部愁得在村委办公室里不知如何是好。就在这时，华西村的吴仁宝书记来了，他带着10万元现金对我们说：先把欠村民的债还了，再把年过了。当时我们前进村的干部们真的热泪盈眶，不知说什么是好。更让我们意想不到的是，老书记吴仁宝当场拍板，说要帮我们建厂。‘我们华西出500万元投资款，赔了是我们华西的，赚了是你们前进村的！怎么样？干不干？’老书记拍着我们村支书的肩膀这样说。这么好的事不等于天上掉馅饼嘛！再不干、再不好好干，我们还有什么脸面挨着华西村？就这样，我们前进村在吴仁宝老书记和华西村的无私支持下，化工厂于翌年元月正式投产，当年就净赚50多万元，三四年后利税已能达到四五百万元，也开始渐渐走向富裕……”

与前进村情况相近，华明、三余巷村也在那些年里，得到吴仁宝和华西村的全力支持，开始在较短时间内摆脱贫困，日子一天比一天好。

“老书记吴仁宝对我们周边村的帮助是无私的。那年他主动找我商量说要帮我们村办一个珐琅厂和一个化工厂。工厂建起后，我们村的农民收入一下得到改善，大家喜洋洋的。可天有不测风云，1994 年 5 月份，一场火灾把我们村的‘摇钱树’——化工厂全烧了。就在我们全村痛苦不堪的时候，吴仁宝老书记带来 280 多万元重建资金，说要在原址上再帮我们建起一个规模更大的化工厂。当时我们村的村民和干部全都掉下了眼泪，大伙儿说：啥叫社会主义好？啥叫共产党好？华西人的风格和吴仁宝书记的为人，让我们一下全明白了！”原三余巷村支部书记孙大龙感慨万分地说。

然而，让前进、华明和三余巷、泾浜等周边村发生根本变化的，还是 2001 年在吴仁宝创造性地提出“一分五统”的大华西概念之后。

何谓“一分五统”？“一分五统”是吴仁宝在探索建设有中国特色社会主义新农村实践中的一大发明，它曾被中央领导和学界称为“吴仁宝新模式”。提出这一构建模式的初始，是吴仁宝在期望以“富华西带周边穷兄弟”时碰到的：1988 年，华西主动伸手出资为周边几个村办厂帮扶，虽然也使这些村的生活得以改善，但由于日趋激烈的市场竞争，周边几个村的好日子并没有节节上升，有的甚至在下滑。这让吴仁宝对帮扶问题有了重新思考：过去总讲“船小好调头”，其实在全球化经济越来越普及的市场条件下，只有“大船才好抗风浪”。华西村之所以能够乘风破浪、效益越来越好，正是因为它的企业集团有着较强的竞争能力。于是一个打破中国五十余年农村行政格局的大胆设想在他脑海里形成，随即吴仁宝把自己的想法专门以书面报告的形式向上级部门做了汇报。

“好啊！吴仁宝同志的设想和思考符合邓小平的理论，也体现了‘三个代表’重要思想中代表最广大人民群众的根本利益这一点嘛！我们认为这‘一分五统’行！有创新，也有可操作性！这也说明吴仁宝一生追求的共同富裕理想，已经开始从华西走向社会，我们全力支持！”上级部门的态度，给了吴仁宝极大鼓舞。

“亲望亲好，邻望邻好。这些年大家都看到了，华西村的日子一天比一天好，村民们吃的、用的、穿的，还有银行里存的，都比别的村好一大截！可我要说的是，华西村富了，我吴仁宝高兴。可如果你们——你们这些乡里乡亲的邻居们都好了，我吴仁宝就更高兴啦！现在，我想问问大家：你们愿不愿意跟着华西一起上路、一起走华西特色的社会主义金光大道？”那是一个阳光明媚、春风和煦的日子，吴仁宝来到华明、泾浜、三余巷和前进村的村头田间，他一边挽着裤腿帮人家干活，一边这样问大伙儿。

“愿意！我们做梦都想做华西人呐！”邻村众村民们你一言、我一语，围着吴仁宝久久不愿离开。

“好，过些日子，你们都将是华西人了！让我们一起共同富裕奔小康、迎中康吧！”吴仁宝那天也很激动。当下他请来华明、泾浜、前进和三余巷四村的干部，然后又对自己的“一分五统”的设想广泛征求意见。

“一分，就是村与企业分开，我们与华西全拼后的原村委会还是由本村村民自治、选举；五统，即联合起来的五个村统一由华西集团实行经济上的统一管理、干部使用上的统一、人员使用统一、村民的福利也统一、五个村的村建也统一规划是不是？”邻村干部问吴仁宝。

吴仁宝笑：“是这意思。你领会得蛮快。”

“华西效益与我们天壤之别，这一统你们不是亏大了？”

“华西村这几十年发展的是集体经济，走的是共同富裕。你们加入大华西后，就是华西的人了。华西人不讲谁亏谁赚，只讲贡献和能力。再说，华西还要向前大发展，你们加入进来后，在人力和自然资源上也给华西发展提供了空间和前景，我们彼此谁都不吃亏嘛！”

“好，就这么说定了！我们心甘情愿当华西人！”

“我们也愿意！”

“愿意——”

啊，当华西人，这对周边的农民来说，是一种梦想！农民们最讲求实惠，现在吴仁宝把已经闻得到香味的“肥肉”送来了，谁还不愿意？不愿意的是傻子，种地人才不是傻子呢！

吴仁宝推出的“一分五统”，第一年就吸引了华明、泾浜、前进和三余巷四个村。第二年，西巷、北缪家、水池巷、陈塘、朱蒋巷等村又几乎以百姓百分之百的签字率（吴仁宝要求，凡想加入大华西的周边村子，村干部必须征求村民的自愿签字）请求“并入华西”。

华西在“一分五统”的引领下，短短几年时间里，一下“扩容”到了今天方圆 30 多平方千米的面积，下辖 16 个村级单位，人口也增至 30000 多人……当我们今天走进到处欣欣向荣、和和美美的大华西，你所能看到的那些有条有序的“工业区”“生活区”“休闲娱乐区”“生态农业区”“旅游风景区”等规模和气势都十分壮观与美丽的现代化景象时，仿佛有种置身于一个别样的都市之中，而这在“一分五统”之前的华西村是不易做到的。

在请吴仁宝描绘“一分五统”后大华西前景时，老人举目窗外，然后深情地告诉我：“到我 80 岁时，所有大华西的村民都要搬进别墅、新房，让他们人人都能享受到中康的幸福生活……”

中康是什么概念？中康应是人均收入在 6000 美元以上的水平吧！事实上我知道华西村在 2004 年，就已经超过了这个水平。但在吴仁宝的心目中，中康何止是一个人均收入6000美元的概念，它还包括物质生活的质量、精神生活的质量，以及对未来的信心等等。

吴仁宝对我说，在他的内心世界里还有一个更大的心愿：华西村民们的生活越接近中康、大康，他越想为那些远在千里之外的中国穷困地区的农民兄弟实现脱贫和奔小康助把力……一个多么崇高的老共产党人的胸怀！

“吴仁宝，国之宝。”有位中央领导这样评价他。

在过去的一二十年间，华西村在吴仁宝的倡导下，始终信守“一村富了不算富，全国富了才是富”的理念，尽其所能地为“边少穷”地区帮困扶贫，功绩卓著。而在这其中，吴仁宝更是老骥伏枥，一马当先。

早在1991年，吴仁宝与陕西省签订扶贫合作协议后，他就亲自带领本村的骨干专程到千里之外的黄土高原——陕西汉中的高潮村考察落实扶贫与建厂事宜，并且从那时开始，每在外省建一个“华西村”，吴仁宝都要亲自前往考察落实具体项目，有的地方还要一年去几次。那一年，华西村的帮扶技术考察队在前往山西途中，车子发生意外事故，年近67岁的吴仁宝不顾流血伤痛，坚持要到目的地，当他带伤下车到大寨看望帮扶项目时，大寨的郭凤莲握着老人的手感动得热泪横流：“华西有您这样的老书记是福气，我们大寨有您这样的好亲人感到光荣啊！”

1994年，国务院做出了力争用七年时间、解决中国农村8000万贫困人口的温饱问题的“八七扶贫攻坚计划”。已经走向西部扶贫征程上的吴仁宝在返程途中，专门上北京向国务院扶贫办的领导表示：华西村愿意投巨资，为经济欠发达地区培训干部，采取一带十、百带千的方式，并且在2000年前帮助西部地区10万人脱贫、1万人奔小康！

“了不起！华西了不起！吴仁宝了不起！”国务院扶贫办的领导在敬佩吴仁宝的同时，又称他的培训和扶贫构思是“中国扶贫工程中的伟大创举”。

从那一年开始，华西村在吴仁宝的主持下，每年接纳来自全国各地的干部培训任务，多则一次几百人，少则几十人，时间有的两三个月，也有一年、两年的。所有到这里培训的干部全部由华西提供生活和学习的全套优质的免费服务。吴仁宝不仅担任培训的领导小组组长，而且每期必亲自要上几堂课。来自穷困地区的学员，在华西和吴仁宝那里，既学到了小康的致富经验，也深深地被吴仁宝这位基层老书记那份对百姓、对集体、对国家和对党的浓厚感情所感染。而吴仁宝则说：“我是从旧社会过来的人，知道穷苦地方的老百姓最关心两件事：能不能吃饱穿暖，能不能让孩子上学。可每当我到西部那些穷地方走一走时，心里就特别的沉重，就特别想帮他们一把。我们是社会主义国家，华西今天能够富甲天下，靠的就是社会主义，所以我们华西帮一把穷兄弟也是自己坚定走共同富裕的信仰的一种体现、一份感情。”

十多年来，在吴仁宝的倾心努力下，华西在外域建立的“华西村”已经不下十个，帮助西部10万人脱贫和1万人奔小康的目标也早已实现。然而吴仁宝和华西人帮扶的脚步从未停止，一个个具有“吴仁宝模式”的“华西村”在宁夏、黑龙江、江西等地遍地开花，而吴仁宝在帮助这些兄弟省区建设“华西村”时，掏的不仅是钱口袋，更多的是他建设中国特色社会主义的观念和意识。他甚至每一次关键时刻除了自己亲自蹲点扶植外总要派出华西村最好的技术骨干和管理能手到那些地方扎根，而这些骨干和能手中必有他的亲生儿子在内。1995年，村党委决定为黑龙江肇东的一个山村建“东北华西村”，那儿条件十分艰苦，社情也复杂。吴仁宝挑了自己最心疼、也是最小的儿子“老四”，临别时他对“老四”说：你上那儿一定要像孝敬我和你母亲一样孝敬那儿的百姓，也一定要像建设华西一样建设好“东北华西村”。“老四”不负父望，带领当地村民，苦干一个秋冬春夏，既平地，又办厂，一年就使这个原来人均收入不足千元的贫困小村庄，一跃成为人均收入 4000 元的当地富裕村。

“我还是那句老话：社会主义是什么？就是让百姓过上好日子。今天我们的共产党要干什么？就是要让没有过上好日子的人民尽快过上好日子，让已经过上好日子的百姓，更加幸福富裕、健康长寿……”50 余年党龄、78 岁年龄的吴仁宝，今天依然声音响亮、步子匆匆、干劲不减，他把华西的大权交给继任者后，说自己现在的任务是：争取活到 100 岁，再为党和人民做点事。

我们祝愿这位老人永葆革命青春，也祝愿他亲手举起的华西旗帜永远地高高飘扬……

2005 年 5 月至 6 月于华西—北京

天堂创造者

天不能改，地一定要换。

——常德盛

序篇　人们都说这里是天堂

常德盛，中国农村在位最长的村支书之一。

蒋巷村，186户，1700亩地，800口人。40年前是一块低洼闭塞的蛮荒之地，血吸虫病流行，地不产粮，食不果腹。村支书常德盛提出："天不能改，地一定要换。"

如今蒋巷村已建成工业园、粮食园、蔬果园、居住园、旅游公园"五园"交错的新家园。蒋巷村展览室的墙上贴着一张历年的人均收入统计表：20世纪60年代118元，70年代316元……去年（2009年）21600元。

也许，蒋巷村在全国不是最富的村子，但是要说农民内心的幸福指数，蒋巷村一定是中国最好的村庄。

那天，散文家、人民日报原副总编梁衡随作家采风团来到苏州市的常熟蒋巷村。当他看到这里的老人们一个个活得滋润：吃得好、穿得好，跟子女们亲善和睦，很是惊诧与喜悦。因为走南闯北、跑遍了中国许多地方，他心头有杆秤：看一个地方的百姓生活好不好，不是看家里的存款有多少，也不是看是否都住上了洋房，或者有没有小车子，而是要看他们生活得是不是心情舒畅和精神快乐。来蒋巷村之前，梁衡听说了常德盛的事迹，也听说了这里的村民家家户户住上了让城里人羡慕的220平方米的新别墅；所有的村民不仅就业有保障，医疗看病和上学也都实现了全部免费，而且男满58岁、女满55岁都可以退休并每月拿到几百元的养老金，几乎日常所需都有村上管，这样的日子用老百姓的话讲是"什么都不用愁"的好日子了。

蒋巷村的党委书记常德盛还让自己的村民做到了这样一件事：提倡上年岁的老人与子女们一起住，能这样做的人家一年奖励2000～3000元。有人问为什么要设这样的奖？常德盛说，在农村，上了年岁的人能与子女住在一起，证明这个家庭和睦，证明这个家庭的子女有孝敬老人之心，应当奖励。

可蒋巷村还有另一项措施，这似乎是个悖论：凡不愿与子女们住在一起的可以免费住进村上的“老年公寓”。有人因此又问常德盛：为什么两头都提倡？常德盛回答：农村老人大多是些旧社会过来的人，或者说都是从苦日子过来的人，他们的生活习惯、行为方式都是以前养成的，同现在的年轻人很不一样，即使是亲生子女、孙子孙女，也很难一致。如果要使一家人真正和睦亲善，一家三代、楼上楼下地住一栋别墅里，容易因为一些生活小事产生矛盾。分开居住，又相距在百米之间，天天能见上面，这样虽不在一栋房子里居住，却更觉和睦亲切。

开始梁衡和所有远道而来的参观者都有些将信将疑，后来访问了蒋巷村的老人之后才相信这每一件事情都是真实的——

蒋桃英，今年74岁。她这样介绍给客人听：我家住进村上的别墅已经7年了，当初村上规定每家每户自己出12.8万元，其余的钱全都由村上补贴，实际上我们自己基本也没有花啥钱，是村上把我们的老房子折价后收购了。住进别墅后，楼上楼下宽敞得很，子女们又把楼房里里外外装修得跟宫殿一样好看。可时间一长我有些受不了：他们进屋后都要换鞋子，一天进出几次就换几次鞋子。我一个老太婆家，过去一直住的是平房，所以怎么也不习惯进进出出都要换鞋子。有时也恨自己没长记性，咋总忘了把脏兮兮的鞋子换一换呢？咋总要让儿子儿媳妇孙子孙女提醒十遍八遍还没长记性呢？我不怪孩子们，是我自己骂自己笨。现在的日子好过了，孩子们待我们比过去不知好多少倍，可就是觉得住在别墅里别扭，所以就提出要搬到老年公寓去。到老年公寓后就不一样了，这里都是平房。早上下床穿一双鞋，一直到晚上睡觉时脱掉就行了。我感到特别自在、开心。

不与子女住在一起，生活是不是也有不便的地方？比如遇上头痛脑热啥的咋办？参观者问。

蒋桃英说：老年公寓里有医疗卫生室，一般的小毛病有医生给点药就行了。遇上要上医院啥的村上会派人派车送市里大医院，方便得很。

又问：跟子女关系是不是远了？

答：不会的，反而更亲近了。

咋说？

因为不在同一栋楼房里住，没有了矛盾，孩子们反倒更加关心我，生怕有个三长两短。蒋桃英老人说到这里乐得咧开了嘴，道：我有三个儿子，他们经常抢着要接我回去吃好的，我吃足了他们又把我送回老年公寓来。现在我住在老年公寓里，自已每月有 700 元的养老金，加上村里发的其他分红，一年有一万多块钱，我一个老太婆怎么花也花不完。整天除了锻炼身体外，就是跟老年公寓里的一帮老姐老哥们聊天说开心事。要是想孩子了，一个电话，孙儿们就跑我跟前来又说又笑，乐得我前仰后合，你说这样的日子哪儿去找？

梁衡先生品着老人的话，觉得是这个理：人一老，没有病，跟儿女和睦，不愁吃不愁穿，整天乐呵呵的，这样的好日子城里人、大干部不也求这光景嘛！

蒋巷村的老年公寓确实很适合农村老年人居住。一律是平房，一般每户居室左右两间，外间是厨房加小客厅，里屋是卧室和卫生间，50 多平方米，宽敞明亮。每户都有电视电话和小冰箱、灶具和橱柜及燃气，这些全是村上免费提供的。墙壁与墙壁之间隔音很好，出门是户与户相连3米宽的走廊，据说也是常德盛设计的，他说这样可以让老人们串门聊天方便。屋里屋外有自来水龙头，但公寓的院子两头却留有几口自动抽水的水井，这同样是常德盛的杰作，他认为井水冬温夏凉，一些跟他“改天换地苦干了一辈子”的老哥老姐们习惯用井水。

“总之，我们想得到的和没想到的，常书记都给我们备好了。”

从蒋桃英的屋子出来，见几个上了年岁的老人扛着农具，看样子是出去干农活。梁衡的脸顿时凝重起来，用有些怪罪的口吻责问身边的常德盛：“你让他们住老年公寓好，可他们这么大年岁了还让他们上地里干活，这就不太好了吧！”

常德盛笑了：“梁总，你可以去问问这些老哥们、老姐们愿意不愿意找点活干。”“哎，老孙，你过来跟梁总他们聊聊。”这个时候，有位肩头扛着一把农具的长者正好路过，常德盛招手要他过来。

“老哥尊姓大名？今年高寿？”梁衡问。

“我叫孙敬宗，今年整70。”老汉笑哈哈地答道。

“这么大年纪还下地干活啊？别把身体搞垮了！”梁衡上前抚摸了一下老哥的胳膊，脸上渐露笑意：“倒是挺结实。”

“这位同志你肯定在农村没待过多少时间，”孙敬宗老汉冲梁衡边笑边说，“咱当了一辈子农民，干了一辈子活，现今托了常书记的福，子女们住的是洋房别墅，我们上岁数的人进了老年公寓，要啥有啥，心里头没愁事。可你们不知道，要是天天待着光吃不动，那也会憋出病来的，那叫懒病。为这，常书记想在我们前面，他特意在村上设了保洁队、老年活动室，还开辟了一个种植各式各样农作物、养殖几十种动物家禽的生态园，我们这些上了年纪的人可以自愿报名参加保洁队、生态园和老年活动室等岗位。常书记说了，我们这些老人，可以根据自己的身体和兴趣上岗任职，每天的活干多干少，完全按照自己的体力和个人的情况。当然既然做就要做好，常书记特别照顾我们，大伙儿也干得非常认真出色……”孙老汉突然收住话，凑到客人的耳朵旁，细语道 ：“我现在在生态园当售票员，负责学校学生的实习基地，知道我一年还能赚多少钱吗？”

“多少？”梁衡很感兴趣。

“1 万多！”

“算不算退休养老金什么的？”

“不算。那一份是 8000 多。”

“这么说，加上村上的其他暗补明发，你跟我这个副部级干部差不了多少收入嘛！”梁衡逗趣道。

“啊——不会吧？”孙老汉听后半信半疑，于是只好咧着嘴憨厚地笑了起来，突然他转过话锋对客人说 ：“领导啊，还有一条你们城里人可能未必比得上我们这儿的老人呢。”

“说来听听。”这一天梁衡特有兴致，一一追问。

“你看我像不像患过绝症的人？”孙老汉挺了挺自己硬朗的身板，问客人。

“不像，您老人家挑百十斤的担子肯定健步如飞。”

“那是。”受到赞扬的孙老汉有些手舞足蹈起来，说，“可十年前，要不是常书记关照，我现在早就骨头都烂光了……”

“嗯？”

孙老汉点点头，说 ：“11 年前，我得了癌症，当时昏死过去，被人送到镇医院，医生说马上要动手术。常书记得知后立即赶来，说动大手术必须到大医院，一方面又安慰我全家不要发愁医疗费。后来通过常书记的联系，我被送到市第二医院。手术 20 多天后出院回到家，常书记当天就上我家，跟我说你老哥以后干不动就在家休息，不会让你和子女负担一分钱的。后来我到了恢复期，他把我安排到老年活动室。以后见我身体无大碍，便叫我到生态园上岗，并且特别嘱咐我：每天在生态园要绕着里面的湖边道转上两三圈，一边走一边跟湖上飞的白鹭、水鸟和园内跑的鸭子鸡仔聊聊天，或者停停走走观察观察田间路边的黄瓜、葡萄啥的长得咋样。常书记说，你若能这样坚持三五个月，身体保证硬朗起来；若坚持三五年，身上啥毛病全没了！起初我半信半疑，不出几个月，我发现自己的身体真的变了样，啥不舒服也没了！你问有这么奇？可不就这么奇嘛！”孙敬宗老汉告诉客人，他现在的身体已经完全恢复到了正常状态。“告诉你们吧：我们蒋巷村过去是个血吸虫病的重灾区，几十年前，一年因为血吸虫病能死掉六七个人。可是现在，村上有八个人患了绝症，却一个个活得好端端的。你们说啥原因？”

“环境好，心境好，人与自然合一啥都好！”梁衡身边的一位诗人抒情起来。

孙老汉眯着眼睛连声笑言“对，对”，并凑到客人中间像说书似的介绍起他的“养身奥秘”：“你们不知道，常书记教我的那几招真的管用啊——先说咱们的生态园，几百亩面积，中间还有一个湖，你慢步绕走一圈就得十几分钟，两圈下来就有三五公里路程，这每天早上和下班绕上两三次，就等于散步了十来里路，这是常书记给咱开的第一个‘方子’。生态园有水有田，有竹园有树林，有果园有菜园，还有家畜园家禽园，有集中陈列了我们年轻时用过见过的上万件江南农家器具的风物园，还有学生们可以锻炼拓展的活动园。地里种的东西就不用说了，水里游的也应有尽有，天上飞的都是自己来的……你们说，在这样的地方过日子，不等于像在天堂里享受嘛！咋会有病？有病了也会不治自好！”

所有听完孙老汉话的人皆情不自禁地异口同声道：走，去生态园看看！

蒋巷村的生态园，是根据常德盛一手设计搞起来的。虽然只有几百亩的占地面积，但对一个人口仅有800多人的村子来说不算小了。一片碧波荡漾、芦苇与茭白镶嵌在岸边的湖面，使得整个生态园映衬出江南水乡的风情。这里的生态园完全是按照农民们的实际需要和发展生态旅游所规划和设计的。入园后，顺着一条可以走汽车也可以自由行走的大道前行，左右两边是茂盛的树林和果子飘香的有葡萄、桃树、枇杷等数十种适宜于苏南气候的果园，紧接着的是一片种植了各种蔬菜的蔬菜地，井田式的小块蔬菜地很规则，但种植的蔬菜却各不相同。一问，这又是常德盛的杰作：虽然村里已经将大米、面粉等主食免费供应给各家各户，但习惯了下地的农家人一方面需要改善自己菜碟子里的花样，更重要的是让他们在过上好日子之后仍有机会在种地劳作中获得精神上的快意，于是便在生态园里有了这样一片统一标准、花样各异的菜地。蒋巷村的农民尤其是年老者对村上给他们的"自留地"给予了高度评价，说这是常德盛书记办的无数件符合民意的大好事之一，尤其是像孙敬宗这样的老年人，称这蔬菜地是"开心田"。

"那会儿我动手术后刚被常书记安排到生态园上岗时，每天早上路过这片自己亲手种植的菜地，眼瞅着倒挂在竹架上的黄瓜一天一个样地开花长个，心里甭提有多惬意！回过身，再看看湖面上飞来飞去的白鹭，侧耳听着田地里的蛙声鸟语，我一路散步，左右两侧蝴蝶蜜蜂前呼后拥地跟着我……你们说，我还有啥心思去想着自己的病，想自己的不开心事？"孙敬宗老汉把自己和蒋巷村的那些身患绝症的人为什么能在村里养好的奥秘透露了出来。

佳境愈顽疾，原来便是此理。

其实，在蒋巷村，像生态园那样"可以治病养病"的地方现在已是遍及整个村落。走出生态园，是这个村的千亩良田，这些良田现在由十几户种田能手承包着，他们负责全村的粮食种植和供应，并将多余的粮食按质论价销售到市场上去。即使是这些承包出去的良田建设，其水利设施、田埂道路、河道沟渠，也都由村上统一规划投资。比如粮田间的300多亩河道，也都由村上出资每年疏浚一次，而四通八达的20多千米的田间主干道的水泥路也都由村上修建。

“在村上承包种地最叫我开心的一件事是：每年村上给我们每家种田大户免费提供几十吨有机肥……”种粮大户的一句话让参观者感慨万千。

即使是不种田的人也懂得这个理：地里要种出最好吃、最有营养、最安全的东西，就得靠有机肥。有机肥种出的庄稼和粮食在市场可以卖出几倍甚至十几倍的价。蒋巷村敢为种田大户免费提供有机肥，仅此一点，足让人敬佩之至。

当我问起常德盛为何这样做和怎能如此慷慨去做这样的事时，这位憨厚的老书记掏出了一句心里话：中国是个农业大国，我们的老祖宗教我们如何种地已经有几千年的历史了，过去我们一直知道种地讲究的是要施有机肥，近几十年我们的国家富裕了，化肥也越来越多了，弄得种田人只知往庄稼地里撒化肥、喷农药，害的是谁？是我们自己。所以我告诉蒋巷村的人，不管别人怎么干，我们蒋巷村的粮食蔬菜果树包括水产品，一定要施有机肥，一定要保护好生态，为的是不害自己，也不害别人。

正是在这样的理念下，蒋巷村的每一个局部和细节，都会令人肃然起敬。常德盛告诉我：他能免费向种粮大户提供有机肥，是因为他早在20多年前就在村里办起了畜牧场和养殖场，这些畜牧养殖场不仅为村上农民们提供高质量的牛奶与肉食，每天还有数吨有机肥料。而在常德盛看来，蒋巷村虽然通过其他工业来实现全村的富裕，但家里再多存款、村上再有更现代化的条件，却仍然实现不了村上人内心的幸福感。要让全村人过上真正又富裕又幸福的生活，1700多亩良田才是蒋巷村的命根子。

难怪那一年走在蒋巷村千亩良田的田埂上的温家宝总理，异常兴奋地拉着常德盛的手说，你跟我一起走走……

一位大国总理，一位乡村支书，他们一起漫步在清风吹拂、麦苗飘香的田埂上，那一刻是怎样的心旷神怡！

“学校像花园，工厂像公园，宅前屋后像果园，全村像个天然大公园。”这话是10多年前常德盛在村民大会上许下的承诺。凡是到过蒋巷村的人对上面的四句话都不会提出任何疑义，因为现今的蒋巷村无论哪个角落，你都可以深切地感受到自己置身一个天然大公园的美好环境。曾经有很多参观者包括中央领导在内来到蒋巷村后都发出过这样的感叹，说蒋巷村虽然可能在全国不是最富有的村子，但这里的精细和恰到好处及农民们从内心流露出的幸福感则是全国最好的村庄之一。

“这样的社会主义新农村才是我们所提倡的，因为它学得来，也学得会。”这是一批考察调研的领导对蒋巷村的评价。

的确，在现代的历史进程中，各个地区的差异很大，可以说，什么样的富有都可能有，尤其是在社会主义新农村的建设中，什么样的理解和模式都在产生，然而真正站在老百姓的真情实感上，来评判“民风淳朴，社风正派，干群情深，家庭幸福，邻里和睦，经济富足，发展持续”这样的标准，并不容易实现，然而蒋巷村做到了。

蒋巷村的百姓们因此感叹自己现在的生活“胜过在天堂”。这样的话从那些吃过苦、经历艰苦奋斗年代的老一代农民的嘴里说出来并不困难，可是从在甜水中泡大的“80后”“90后”的嘴说出来就不易了。2009年7月中旬，蒋巷村利用学生暑假时间，举行了一次全村在外读书的大中专学子回村“迎建国60华诞，看家乡巨变”的征文活动，几十名本村籍的大学生、中专生在实地感受自己家乡的一草一木后纷纷写下了一篇篇精彩的心得文章，其中有位在南京上大学的学生这样写道：“虽然我不知道世界上富有到底是个什么样，但我知道我们村里的百姓家家户户有了他们想要的新房别墅、车子票子；我不知道什么样才算环境优美、天人合一，但我知道我们村里每一户的宅居四周花木簇拥、全村的道路整洁四通八达、千亩田园鸟语花香、河湖碧净；我不知道什么样的生活才叫舒心和美，但我知道在我们村上的长辈与儿女之间、邻里与邻里之间、亲戚与亲戚之间、干部与群众之间几乎听不到吵吵嚷嚷、相互指责埋怨的不和谐声音，有的是此起彼伏的欢声笑语……难道这不是农家人和世上的人所追求的那种真正的幸福与美满吗？我为自己有这样的家乡而感到自豪。”

是的，蒋巷村的人都有这样的权利自豪。而最令我们感动的是为蒋巷村创造这种自豪感的像常德盛这样一位大德于民的共产党人。

在中国人的心目中，幸福生活就是共产主义社会。共产主义社会是个什么样？过去中国的老百姓心目中就是“楼上楼下，电灯电话”。现在社会发展了，百姓心目中的理想生活应该是“洋房别墅，汽车钞票”加幸福指数。然而在物质条件迅速发展的今天，这样的条件显然还不是真正的共产主义社会，于是百姓有自己对理想社会的描述，那便是“天堂”一样的生活。天堂生活是中国百姓心目中的理想世界，也可以称为中国式的“共产主义生活”。

蒋巷村的百姓称自己现在的生活就好比共产主义生活，“要啥有啥，幸福美满”。

作为一名资深新闻工作者和著名学者的梁衡同志在参观蒋巷村后引发他的一番深思。他后来写了一篇文章发表在中共权威杂志《党建》上，题目为《在蒋巷村的共产主义猜想》，他在文章中这样说：

共产主义是什么样子？谁也没有见过，到现在还是想象中的事情，十分遥远和渺茫。它是马克思在160多年前根据社会发展规律推演出的一种理想社会……于是共产主义就有了各种各样的版本。余生也晚，以我的所经大约有两种。一是解放前后，这在反映当时生活的电影上还能看到，战士们在坑道里抱着枪幻想，或者刚分了土地的农民蹲在犁沟里憧憬，共产主义是什么？“楼上楼下，电灯电话”“点灯不用油，耕地不用牛”。主要反映解放了的劳动者物质上的要求，是最初级、最朴实的“解放版”共产主义。二是“人民公社”版。追求“一大二公”，农民吃食堂，不要自留地，不许养鸡，连同劳动者本身也都“归公”，甚至连每个人的思想也不许有私人空间。第一个版本，要求不高，很快就达到了；第二个版本则是一场黄粱梦，经“大跃进”、“人民公社”和“文化大革命”后就破碎了。而这次我却看到了一个与前两个不同的、比较接近马克思想法的版本，我把它叫作“中国乡村版”的共产主义猜想。

我们过去对共产主义的理解有这样几点：生产资料公有、产品丰富、觉悟提高、道德高尚、贫富差别小等，但是对人的自由讲得很少。马克思有一句话：“自由的人就是共产主义者。”恩格斯更具体地说：“我们的目的是要建立社会主义制度，这种制度将给所有的人提供健康而有益的工作，给所有的人提供充足的物质生活和闲暇的时间，给所有的人提供真正的充分的自由。”他这里特别强调“所有的人”都能得到这三点：有工作、有物质享受、有精神自由。当然，自由的前提是物质丰富，但丰富之后怎么办？或者说鱼和熊掌怎样兼顾，这就是我要说的这个新版本。

蒋巷村不大，186户，1700亩地，800口人。40年前是一块低洼闭塞的蛮荒之地，血吸虫病流行，地不产粮，食不果腹。当时的村支书常德盛提出："天不能改，地一定要换。"现在已换成工业园、粮食园、蔬果园、居住园、旅游公园"五园"交错的新家园。村展览室的墙上贴着一张历年的人均收入统计表。20世纪60年代118元，70年代316元……去年（2009年）21600元，这还不包括各种补贴和福利收入。

按照恩格斯说的那三条，我们来看看这个现实中蒋巷村版本。

先说人人有"健康有益的工作"。全村工作分为工业、农业、服务业，正好是经济学家们说的第一、二、三产业。原则是"工业向园区集中，农田向能手集中，居民向社区集中"。各人可根据自己的条件和爱好选择职业。全村1000多亩地集中由17个种粮大户来种，其余大部分劳力进了工厂，而且都是做"健康有益"的工作。村里10年前就主动关闭了一个很赚钱的化工厂，现生态极好，林木荫道，绿水绕村，鸟语花香。还设有一个大气监测站，每日除报气象，还报大气质量。

再看第二条，"充足的物质生活"。每户一座两层楼的别墅，早已超过"楼上楼下，电灯电话"的理想。村里有商店、图书馆、博物馆、农民剧院，一应俱全。有趣的是村里有一个很大的民俗博物馆，墙上抄着一首辛弃疾800年前描写江南农村生活的词《清平乐》："茅檐低小，溪上青青草。醉里吴音相媚好，白发谁家翁媪。大儿锄豆溪东，中儿正织鸡笼；最喜小儿无赖，溪头卧剥莲蓬。”这是中国农民几千年来的文化背景、心理背景：追求富裕、和谐、自然、自由。蒋巷村人就是在这个背景下来描绘现代图画。现全村已人均年收入两万多元，中学以下上学全免费，大学生年补3000元，研究生年补5000元；老人55岁开始每月补300到600元，身患重病者，月补400元。他们说这是“按劳分配加按老分配”。

最难能可贵的是第三条，“给所有的人提供真正的充分的自由”。前面所述各人可自选工作已不必说，且以养老一项，就可见他们怎样努力创造自由状态。中国已渐入老龄社会，养老成为一个令人头疼的社会问题。难在怎样既保证老人生活舒服，又精神自由，还能减轻年轻人的负担。而中国农村的婆媳矛盾是一道传统难题，现代社会的新老“代沟”又是难抚平的伤痕。蒋巷村却有办法。全村55岁以上老人200名，按说各家都有别墅小楼，住房宽裕，三世同堂，足可养老。但村里又另盖200套老人公寓。平房庭院式，花木葱茏，阳光明媚。分单身居和夫妻居两种，面积不同，室内厨、卫、寝、厅，一应俱全。老人如愿与子女合住，则住；不愿即可搬来公寓自住，免去了许多因“代沟”所引起的习惯不合与情感摩擦。又因是在本村，子女近在咫尺，照顾亦便，分而不裂，和而不同，亲情不减。距离产生美感。这里，无论老人还是子女，“每个人的自由都是对方自由的条件”。我执意要看一两户老人公寓。庭院排排兮，花掩地，每家都窗明几净，闲适自得。他们在院中树下或干一点轻活，或聚而闲谈。王凤英老人已79岁，正抱着两岁的曾孙在门前晒太阳。旁边晾着一笸箩新碾的米粉，雪白细腻，散发出微微的清香。近处翠竹摇曳，紫薇吐蕾，茶花艳艳；远处大田里菜花金黄，一直黄到天边。就是桃花源中人也不过这样。不是说小康的住房标准是每家要有两套住宅吗？盖此情景也。

村里的生活设计还有许多尊重人性自由的细节，如粮菜供应充足方便，但还是给每家半分自留地。不为吃用，只为满足农民世世代代的精神寄托。菜园里老人弄苗，童子追蝶，吴侬软语，相话桑麻。村里设早市区，买卖自由，交换方便。我去时，已收市，门面街道收拾得干干净净，都有专人管理。村支书常德盛解释说，也不只为物资交流，主要是让村民有一个交往、说话的地方，要的就是一个和谐。村外有人在修渠，这是外来的打工者。果园里几个老人正在剪枝，老常说，他们本有养老金，可不干活，但如想干，还再给工资，是轻活，可干可不干的。我立即想起一句话，到了共产主义，劳动就成了人的第一需要。

蒋巷村的现状当然不是共产主义，那样说我们这些人太低能了。但它肯定是人们追求理想征途上的一小步……事实上，从《共产党宣言》发表那一天起，无论领袖还是群众，理论还是实践，都在摸索寻找。列宁说，共产主义是苏维埃加电气化。这也是一种版本，和“点灯不用油”有一点相似。改革开放，国门打开，有人考察发达国家，说这就是我想象中的共产主义。这是从物质文明的角度看，也是一种版本。近年来还有人研究北欧版本。当然，蒋巷村物质条件比起世界上和国内的发达地区还差得很远很远，但它和自己比是大大进步了，更可贵的是，它能在自身物质进步的基础上对“自由人联合体”的含义进行积极探求，这就了不起，是中国乡村版的共产主义猜想。基因学有一个术语：基因漂流。自然物种在进化中，总有某种基因会飘落某处与其他基因结合成新的物种。共产主义理论在160多年后，飘到中国的江南水乡，与这里从800年前飘过来的辛弃疾词里所表达的那个天人合一、老少同乐、物我一体的乡土基因相结合，成了现在的这个新版本——蒋巷村版（现代中国还有其他版本，如华西村版、南街村版、大寨村版，含义各有不同）。任何科学都是从猜想起步，猜想一旦变成了现实就是科学的胜利、历史的进步，不管是自然科学还是社会科学都是如此。

……在蒋巷村我又重读了一遍共产主义的猜想，也读出了一点哲学和科学社会主义的意义。

我在此处大段引用了梁衡的话，意在说明常德盛在蒋巷村所取得的所有实践成果，证明了共产主义理想社会的许多“猜想”，其实是可以实现的。而作为当代的中国共产党人，只要我们心怀远大理想，脚踏实地并不断地创新工作，我们期待为人民群众创造共产主义式的理想社会是完全有可能的。这中间，考验和检验一个共产党员的德行极其重要。

不是巧合，但似乎有一分天意。常德盛这个名字是在解放后他读书时大人给他起的，诚朴的父母希望自己的娃儿永远做个常积德的人。而成了共产党干部的常德盛则从此这样说：共产党的干部讲德，就是一生要为国家、为集体、为百姓办实事做好事，这样我们的社会主义事业才能长盛不衰，共产党人所追求的共产主义理想也不会永远只是猜想了。

瞧，这就是“常——德——盛”的独特意味。

生活中的常德盛其实是个出生在极度穷困家庭的苦孩子。现在常德盛所在的蒋巷村看上去像大花园一样，可几十年前这里是有名的低洼水塘地，更要命的还是个血吸虫病重灾区。当地的史志上记载：蒋巷村共有11个自然村，其中有个黄米泾自然村，1937年时有30多户人家，共110人居住此地，而到了时隔20年后的1957年，有一半人家因患血吸虫病而死绝。蒋巷村是名副其实的“万户萧疏鬼唱歌”之地。即使到了20世纪60年代初，全村人患血吸虫病率还高达70%。

蒋巷村地处常熟、太仓、昆山交界的江南水乡，在现在看来是一块风水宝地，可在过去这里几乎没有当地人在此定居，只有那些从苏北、安徽、河南等地逃荒、乞讨的人落户此地。据土改时统计，在蒋巷村落户扎根的外乡客竟有5省26个县共100多人，常德盛的家是其中之一。

常德盛的父母都是这块土地上的外乡人，当年他们是搭着一艘又破又小的漏水拖泥船来到蒋巷村旁的一个既贫困又有血吸虫病的马沙村落户的。常德盛10岁之前，全家8口人没有一个固定的宅居，在迁居蒋巷村前曾经搬过4次家，那个所谓的家实际上只有用泥草垒起的一间避风躲雨的泥棚子。为了维系全家人的生活，常德盛的姐姐4次被卖。幼年的常德盛尝尽人间苦涩，无论寒冬腊月，还是滚烫泥泞的夏天，他的脚上没有穿过一双布鞋。1953年土改之时，作为特困户的常家分得蒋巷村14亩低洼地，从此成为蒋巷村人。然而迁居此地的常德盛一家，仍然没有一砖一瓦，住的是田埂边垒起的三间草房。一家8口人仅有一床捡来的旧席子和两条棉毯。与常德盛一家共同生活的伯父48岁便病逝，那时常德盛的姐姐哥哥和弟弟妹妹都还小，又逢当时忽一会儿“大跃进”，忽一会儿“改天换地”，所以搬到蒋巷村后的常家，又先后5次搬家，直到1960年才算落地生根。

幼年和少年时代的常德盛饱尝了贫困之苦。年至 22 岁，常德盛觉得自己到了娶媳妇的年龄，为了不让人瞧不起，他下狠心在一块被废弃的低洼地上填土，并在那上面垒了三间泥草房。然而常德盛哪里想到他垒的这房在别人看来哪像是个“家”，所以几次开始相中的“准媳妇”最后都因为常家太穷而告吹了……

但就是这样一个人，一个为几块钱给伯父和姐姐看病需要到处向人磕头求情的人，数十年后当他执掌几亿资产、每年可以按劳取酬几十万、几百万元奖金时，竟会慷慨无私地将这些资产和收入全部献给了村里。尤其是 5 年前当他一手经营的江苏省级著名企业——“常盛集团”转制时，他常德盛本可以毫无争议地将亿万资产转到自己名下，而他却拱手相让于村上，同时又继续像一头老黄牛似的带领村民朝着更加幸福、富裕的现代化新农村大踏步前行，将蒋巷村建设成全国农民乐园的典范。

这就是常德盛过去和现在的传奇——

第一章　行德于农——从穷到富之路

45 年前集体账面上仅有 3 元 6 角钱的蒋巷村，在常德盛的带领下，一副肩膀，两只竹筐，将 1200 亩低洼地整整填高了一米！

如今的蒋巷村，有道必有渠，有道必有林，郁郁葱葱的林带气宇昂然地伴着水渠环绕全村。河池里种满了水菱、荷花，水面上鱼欢鸟飞，一派生机；拖拉机、小汽车、运肥车辆可通往任何一方大田；行船可划入每一条河流与湖泊……

常德盛提倡的“庄浜式”种植法，使油菜籽亩产达到 400 斤，比“新华式”翻了将近一番。1979 年，他又发明了“免耕法”，播种的麦田使他们的三麦亩产超过 700 斤，加上水稻的高产量，一年粮食亩产超一吨。全国著名水稻专家、老劳模陈永康说：“我建议省政府在江苏大面积推广蒋巷村的成功经验。”

农民怕穷，是因为穷苦的日子没有饭吃，没有衣穿，更没有做人的尊严。几千年来中国农民为了摆脱一个“穷”字，子子孙孙曾为之做过前赴后继地拼搏和抗争。毛泽东带领中国共产党人推翻了压在中国人民头上的三座大山，而给广大农民的最大益处是将土地还给了他们。

然而要将贫瘠的土地变成米粮仓、变成安居乐业的美丽家园，是需要艰苦奋斗和勇气、智慧与创造性的。自担任村领导之后，常德盛把农民们的这种美梦变成了现实，而这中间如果缺了一个“德”字，穷依然成不了富……因为是这个“德”守住了只为他人而不为己利的信条。

蒋巷村虽说地处江南鱼米之乡，但它很特殊。有首当地的民

谣这样形容道 :“蒋巷泽坞锅底塘，十年九涝一旱荒，泥垛墙头茅草房，树皮菜根拌青糠。”俗话说 :“水乡人，最愁涝，逢涝就要收裤腰，收完裤腰等上吊。”蒋巷所在地最要命的还不是涝，而是“万户萧疏鬼唱歌”的严重血吸虫病。如上面所述，从 1937 年到 1957 年的 20 年里，全村因血吸虫病死掉一半人的记录就足以证明这是一块名副其实的“地狱之域”。

在 20 世纪五六十年代，甚至到七八十年代，中国农村走的几乎都是一条“以粮为纲”的单一农业经济发展道路。在土地上种庄稼养活自己、养活全家并传宗接代，是中国农民几千年传承的同一种生存方式。但像蒋巷村这样的地薄水涝又有瘟疫的地方想靠种地过日子实在太难了。

中国农村在 1958 年实行了人民公社化制度，人民公社下设生产大队和生产小队。这个时候蒋巷村已经开始尝试“改天换地”，但终因地薄人乏，不见多少改变，村民们外出讨饭度日的比比皆是。那时年轻的常德盛是生产小队的会计，他凭借着上过农中的“高学历”和苦孩子出身的勤奋与忠厚，获得乡亲们的好评。当时在他所在的公社流传一首歌曲，叫《唱唱小队会计常德盛》，歌词是这样说的 :

生产队会计常德盛，
好呀好得来，
好呀好呀，哪能好?
学习毛选走在前，
思想好得来，
劳动生产带头跑，
吃苦又耐劳，
生活朴素又实在

毫不利己专利人。
人人都称赞。

生产队会计常德盛
好呀好得来，
好呀好呀，哪能好？
桥栏断了，伊去补，
桥堍太滑铺草皮，
半夜帮人拔菜秸，
张家送点米，
李家送把菜。
一心为人民，
社员个个都拥护。

生产队会计常德盛
好呀好得来，
好呀好呀，哪能好？
家家户户忙过年，
伊去摇黄粪，
开到河里船搁浅，
摇呀摇不动，
德盛一急跳下了河。
顶着搁浅黄粪船，
浑身湿透回大队，
冷得身上簌簌抖。
不怕苦，不怕死。
人人都佩服。

这歌在45年前被人传唱，上一些年岁的人自然而然地会想起电影《李双双》里面的人物。那是那个年代里的英雄才能配得上的。《唱唱小队会计常德盛》，是当时一位在蒋巷大队插队的女知青写的，在蒋巷村现在还有一些老年村民会哼几句。

20世纪60年代初，有一批城里人到农村下放劳动、安家落户。

蒋巷村所在的任阳公社是常熟县的一个最穷的公社，下放到农村的城里人中间有句话这样说："宁到新疆，不到任阳。"若到蒋巷落户，更是被认为"触大霉头"。有个性格开朗活泼的17岁女知青来蒋巷插队后，不怕苦脏累，什么事都抢在前干在前，她还能歌善舞，嗓音清脆甜美，常常自编自演自唱，宣传村里的好人好事。后来她发现蒋巷大队的第十生产队会计常德盛不但账目理得一清二楚，而且干起活来样样抢在前头，人又忠厚老实，做好事从不留名。尤其在农忙时，每天一早戴着月亮星星下地的是他，最后一个披着夕阳回家的也是他。而且常有人一早起来走到田头便惊奇地喊："咦，啥人替我把田里的菜秸拔好了？"或者是："咦，我地里的沟是啥人帮我开的呀？"开始大伙儿不知是谁干的。时间一长，社员们就不用去猜了，"肯定是德盛做的好事"。一次，常德盛从十队到大队开会，他见大队东头那条木桥上的栏杆断了好几根，当天傍晚就领着徐瑞芬等一群小伙子大姑娘拿着木棍树条钉的钉绑的绑，把小桥修好了。

令那位女知青和许多蒋巷人印象最深的是发生在1965年春节前的一件事：那是大年初一前一天，一年忙到头的农民家家户户都在贴年画、做年糕、磨豆腐、割肉称鱼准备过年了。想到过年前，外面捞黄粪的人少，常德盛带着一个小青年乘机进城捞黄粪去了。那天，他们装了满满一船粪回大队，可正是由于船上装得太满，开到任阳河上的一段河道时船搁浅了，两个小伙子折腾了半天怎么也移不出浅滩。听到远处传来的爆竹声，常德盛想："总不能在粪船上过年吧，得赶快把粪运回大队，早点回家。"豁出去了，他"扑通"一声跳下了河。腊月的西北风一阵紧似一阵，靠近河岸的水边，还残留着寒夜里结成的冰碴碴。忍着刺骨的寒气，常德盛屏住呼吸，用尽浑身力气把粪船从浅滩上顶了出去。同船的小伙子把他拉上船，在船上，他抖得筛糠似的，上下牙齿格格直响，身旁的小伙子急得直掉眼泪。常德盛哆嗦着身子对他说："快摇，我、我要回去换衣裳……"

"小队会计"一件件感人的事让女知青情不自禁地拿起笔、拉起胡琴开始边拉边唱：

"生产队会计常德盛，好呀好得来……"这歌就这样传开了。

1966 年 5 月，小队会计常德盛光荣地加入了中国共产党，同年 9 月被推举为蒋巷大队大队长，后来，又当了大队支书，从此在这个位置上一直干到今天，成为中国农村在位最长的村支书之一。

44 年后的蒋巷村我们已经看到了，它如天堂一般的美丽富裕。可 44 年前的蒋巷村是个什么样呢？上年纪的村民们记得，常德盛更记得——

"我到任后开的一次骨干会是几个人蹲在地上开的，你问为啥？因为大队部穷得连一间房子都没有。"常德盛对自己新官上任后的"就职演说"光景记忆犹新。

那天他让人通知全大队四五十个生产队和大队干部一起开会，由于没有大队部，他就找了一户农民家当临时会场。可几十个人得有地方坐呀，于是他便到邻近的农家去借凳子，一圈走过，串了六七家竟没有借到一条凳子！这件事给年轻大队长常德盛的内心震撼太大了：解放 17 年，穷村蒋巷，还是一个"穷"字，再看看集体账面上仅有的 3 元 6 角钱，他的泪水一下流满双颓……全村一半以上的农民家里连一条完整的凳子都没有，这日子怎么过？

“坐坐，大伙儿坐。现在开会……”常德盛清楚地记得自己上任后第一次召开的干部会，所有的人都坐在泥地上，只有他自己是站着的。他站着，是因为他要用一颗悲怆的心向自己的“臣民”、向苍天老爷立一句誓言：蒋巷村不改变贫苦日子，天地不容！我当不好这个村干部，就不是共产党员！

共产党员应该干什么？应该让自己的百姓过上好日子，过上幸福美满的日子。常德盛从入党的那天起就在心头牢牢烙上了这样一个印记。

那一年，常德盛 22 岁。后来他又被推举为大队党支部书记。

“德盛啊，蒋巷地薄人杂，穷困潦倒，你有啥能耐让全村人过上好日子？”

常德盛望着妻子的脸，正色说：“我有一颗火热滚烫的心，有共产党员这块特殊材料……”

新中国的农业革命，在解决土地归属权后，农民对土地的再一次革命基本上靠的都是一种模式：人拉肩扛，以力气和汗水面对穷山恶水、薄土瘦地，进行整治与改造。

常德盛，一米六五个头，瘦巴巴的一个年轻人，能挑得起这副重担吗？你看看蒋巷村这些七零八落、一泓泓死潭与低洼地，能把它改变得了吗？

有人无奈地摇着头。有人干脆挽起破竹篮远走他乡讨饭去了……面对这个赤贫之地和瘟疫蔓延的“死亡之乡”，许多人都在苦苦地叹气，一筹莫展。

“村穷，根子在于地薄。蒋巷要翻身，关键要改造低洼地，兴修水利，给土地增加肥力是唯一的出路。”第一次村干部会上，常德盛这样说。

都是农家人，没有人对这个主张有意见。问题是："兴修水利得靠人。可我们蒋巷700个老老小小中有400个大肚子得血吸虫病的，怎么挖土，怎么挑土方啊？只要血吸虫病留在蒋巷，我们干啥也不行……"三队队长说。

"这话点到了要害，但事在人为，关键在于决心，在于是不是拿出真正的强有力措施来送瘟神、治薄地。"

"可不是。德盛，你领着大伙干吧，我们队的全体社员一定会听从你的安排。"十队队长直着嗓子表态道。

"我们也支持你。只要你领着大伙儿奔好日子，就是刀山火海，我们也敢闯！"

骨干会整整开了3个小时，开得群情激昂，开得热血沸腾。新官上任的常德盛更是心潮澎湃，结束时他说："大家的意见都很好，这对我来说，更增强了改变蒋巷面貌的决心。有句话叫作改天换地，可我认为，天不能改，但地一定要换。蒋巷村现有1700亩土地，都是地势低洼、荒芜贫瘠的地，可我们有愚公精神，有两只肩膀一双手，一定能重新安排蒋巷河山，让全大队人过上好日子！"

"天不能改，地一定要换！"这是常德盛的话，也是蒋巷村人的话，这话让一群瘦骨伶仃的庄稼汉支撑起了理想和信仰，同时也使瘟疫肆虐之地重见天日……

现在，年轻的领路人常德盛首先要做的事是如何领导全村人赶走和根治血吸虫。于是，蒋巷村很快掀起了一场空前绝后的灭钉螺大战。"那阵势才叫群众运动哟！"上年岁的蒋巷村民们谈起当年的"送瘟神"战斗，依然记忆犹新。

"常书记，上头阵，不分白日和夜晚，赶走瘟神来精神。"这支小曲后来上了县广播。

经过两年苦战，蒋巷村的所有河、塘、潭、池逐一得到治理，并且分阶段通过干河积肥等灭钉螺手段，彻底铲除了血吸虫的滋生地。与此同时，常德盛又与县、公社的医疗卫生部门取得联系，组成卫生医疗小组，为村里的所有血吸虫病患者治病，用他的话说，这叫“先强身，再治水改土”。之后，村里腆大肚子的人没了，村民们身体渐趋强壮，为日后大搞农田基本建设提供了有力的保证。

现在的年轻人很难想象先辈们当年是如何艰苦奋斗的，那是真正的吃苦——饿着肚子、一天干十几小时；光着脚、淋着雨，冬天寒风刺骨，夏天烈日炎炎，只要活没干完，就是大年初一也会留出半天出工干活。这是我们的父辈所经历的岁月，他们几乎都是这样走过来的。蒋巷村底子薄，他们干得比别人更艰辛、更漫长……

平坟堆、倒杂树、挖深沟、搬宅基，是蒋巷村农田基本建设的第一战役。而在封建意识根深蒂固的农村，启动这样的战役，常德盛所遇到的压力无人可以想象。他要事事想在前头，事事干在前头，事事费尽心思，甚至事事得去给每一个庄稼人磕头求助，以求工作的通畅。累倒了他不能言苦，苦尽了还要笑脸去迎接新的战斗。当年的蒋巷村啊，1700 亩农田里，河汊渠塘星罗棋布，大小田块零乱而高低不平，且茅草坟堆遍地尽是。为搬移 100 多个坟堆，常德盛需要一家一户去口干舌燥地做工作、挨骂受辱的事是“家常便饭”。

由于蒋巷村民构成复杂，本地人与外迁户之间的隔阂，巷与巷之间的宗族矛盾，像河湖港汊纠结在一起。有人扬言“谁敢动我家祖坟，就让他死无葬身之地”，所以，每搬迁一座坟茔，对常德盛就是一次生死劫难。有人在观望：“别看常德盛夸下海口，他小小年纪，嫩肩能挑千斤担？还不是虎头蛇尾没长性！”

一年冬天，常德盛正带领一帮年轻人去铲一处杂草齐腰的坟堆，不想刚落锄，年过七旬的张家阿婆披头散发、连哭带骂地在草丛里打滚，还站起来指着常德盛大骂："你常家人是外来的野种，你的祖坟不在蒋巷，凭什么铲别人家的祖坟？你这样造孽是要遭天打雷劈的！"说着，用力一搡，将常德盛推倒在冰冷的娄塘里。众人惊呆了，发怒了，都说张家阿婆太过分。落水上岸的常德盛一边簌簌发抖着，反过来劝众人别在意，一边过来耐心地安慰张家阿婆："老阿婆，你不理解是情有可原的，因为几百年来没有哪人来动过你家的祖坟，可我常德盛来动了，但你要知道，你和我们蒋巷人要想过上好日子，就必须铲除穷根，要铲除穷根，我们农民靠啥？就得把地整好。你想想，如果全村到处这边是一块块坟地，那边是一个个泥塘，这地咋能整好？整不好地，我们的庄稼就种不好，种不好地，哪来大伙的好日子？再说，各家的坟堆搬掉后，我们把它们集中起来建公墓，让我们的祖宗们也过上集体生活，这样不是更好吗？"张家阿婆终于醒悟了："你的话说得有道理，我听你的。"常德盛做事从来不让村民们感到不踏实。第二年，他和村干部一起选了一块向阳的地，建起一座花园式的公墓，让全村的祖宗亡灵集居在绿树成荫、四季常青的花木之中。村民皆大欢喜。据说在蒋巷村废除土葬时，当年这位张家阿婆是第一个带头的。

这件事让常德盛印象很深，他深切体会到：老百姓是善良的，你只要把事做得实在，做到他们的心坎上，他们都会是你的同行人。

农田建设其实是一门大学问，对农村和农民来说，绝对是天大的事情。泥里打、雨里走的常德盛太了解和熟悉自己的土地了。在铲坟堆的同时，常德盛在降低地下水位上做文章。当时全国农村都在贯彻农业八字宪法："土、肥、水、种、密、保、工、管"，水在这里被放在首位。常德盛在全村提出了"学四泾（蔡泾、岐泾、浩泾、杏泾）赶马沙（马沙大队），力争实现全公社第五名”的口号，发动全村村民在每块田地里开深沟。做到小沟通中沟，中沟通深沟，深沟通河道的“三沟”配套，同时又在每岔田块里打鼠洞。通过两年的艰苦奋战，效果十分明显，蒋巷村过去“小雨水汪汪，大雨白茫茫”的现象基本消除。

接下去，常德盛发动村民大举进行割青草、罱河泥积肥运动。这两样活儿，现在农村的人都很少看到了，但在20世纪六七十年代的江南农村，那是农民积肥的主要途径。听蒋巷村的人说，常德盛为了改善自己村里的土质，每年都要带领群众用上几个月的时间到周边的太仓、昆山等地，甚至远到上海浦东或隔湖相望的吴江等地割草罱泥。笔者年轻时生活在江南农村，干过罱河泥的活儿，那是农活中最繁重的劳动之一。因为有任务、记工分，所以上船罱泥一舱又一舱，一天下来累得筋骨酸痛，甚至几天直不起腰来。割草看起来是人人可以干的轻活，但问题是那个年代，每个生产大队、每个人民公社都在干同一种积肥的活儿，这样割草便成了“寻宝”一般。雨里去、泥里蹚、水里行、露天宿，这是割草人的基本状态。一般到远处割草，几十人只能挤在一只小船上吃住，那日子难以想象。割草罱泥是苦，而另一种积肥则是既苦又辛酸，那就是开船到上海等城市里淘粪、运氨水——俗话说：庄稼一枝花，全靠肥当家。大城市里的粪便源源不断，而像上海这样的工业城市其可做农田施肥所用的氨水也是农民们争先恐后所要的。从蒋巷到上海也就一百多里路，但那时只有一种运输工具——船只。穷村没有大船，只有小木船或人力水泥船。去一次上海，空船顺水而行算是幸事，满载肥料又逢逆水行舟则只能靠拉纤行进。几吨、十几吨的粪便船靠一两只肩膀拉着前行，这样的纤夫即使跑瘦了腿筋、流干了汗水也只能一天走上二三十里。常德盛知道村子穷，别人家五天一次上海往返，他的运肥船只三天往返一次是最长的日子。靠啥？靠他比别人多拉一倍的纤路、多划两倍的水道……干农活的纤夫绝对没有半点浪漫，他们体会的只有纤夫的苦，而不是“纤夫的爱”。苦，对常德盛和他的村民而言算不了什么，最让人难受的是常常被上海人“白眼”。上海人叫农民为“乡下人”，是居高临下看的。一些自以为是的城里人很喜欢欺负“乡下人”，更瞧不起淘粪拉下水的“乡下人”。常德盛和他的村民在上海受侮辱挨痛骂的事不知碰到过多少次。听蒋巷村的老农说，他们的“常书记”也是堂堂的上海女婿——他妻子俞秀英是上海姑娘，当年因“知识青年到农村去，接受贫下中农再教育”才屈尊到了蒋巷，被“好会计”常德盛的事迹感动而“下嫁”成了农民。“乡下人”女婿到上海本该注意三分形象，可一上手淘粪的常德盛就自然而然地变了模样。乡亲们说，他一到了上海，就仿佛天生是个淘粪工，你看他头戴草帽，手拉粪车，满街小跑着吆喝。妻子有几回正好也在上海探亲，叮嘱丈夫“注意点形象”，谁知一心想着“多装点粪回去”的常德盛根本不顾这些，上岳父家歇歇腿，而他满嘴打听的是附近有没有粪池可以淘，弄得妻子秀英一家再不敢轻易招他上门。但常德盛很得意，因为他有“上海女婿”这层面子，总能比别人多淘回几船大粪给村里……蒋巷村的1700亩地，就是靠他带领全体村民一船船河泥、一船船青草、一船船粪水下料、一船船的城市生活垃圾渐渐改变了质量。

常德盛常说：当农村干部，若不知农田的情况，就好比家长不知自己的子女啥样子。要想让自己的子女健康成长，就必须呕心沥血。

由于常年东奔西走，费力劳神，常德盛患上了严重的胃病，终于有一年他支撑不住住进了医院。可他人在病床上，心里却惦念田地里的庄稼，住在离村六里路的镇医院来去不便，他坚持搬到村卫生室边治病边工作。他搬回村的头一个晚上，村民们都去探望他，可他却早已溜到田间去看稻苗长势了。当他走到村头一块田头时，发现那里的稻苗正呈现发红苗情……是何原因呢？常德盛着急起来。次日赤脚医生给他输液，未输到一半时他嫌太慢了，拔去针头就往外走，说要召开现场会研究稻苗的病症，急得爱人俞秀英直跺脚。现场会“会诊”下来，是缺磷。果然，几袋磷肥施下去，稻苗由红变绿、变嫩了。

蒋巷村的庄稼地一年比一年肥沃，那是常德盛用心血浇灌的结果。

常德盛做农村工作的第二个绝招是：带两头促中间。这两头便是先进和后进。

20 世纪 60 年代末，第十生产队在蒋巷大队是最落后的一个队，稻麦亩产不过“纲”(400 斤)，村民年人均收入不满百。常德盛将时任大队团支部书记的弟弟常德茂叫来，让他去十队担任队长，并要他在一年内打翻身仗。一年内打了翻身仗后，再回来担任专职的团支部书记。

23 岁的弟弟德茂明白哥哥为什么要把这副担子搁在他肩上，便只说了一句：“如果十队没有大的起色，你撤我的职，我也不要回大队部了。”

常德茂来到十队后，听从哥哥的指挥，工作上时时处处以身作则。哥哥号召各生产队开挖深沟，他比其他生产队挖得还要密，而且坚持高标准。哥哥号召大家打鼠洞，十队又走在各生产队的前面，而且还创造了猪棚造肥的新方法——用水葫芦、青草和切细的碎稻草放在猪圈里，倒上河泥后人工踩踏。这些水葫芦、青草等腐烂后是三麦、油菜最好的基肥。十队的经验引起了任阳全公社和其他公社的重视，常德茂由此被请到横泾、唐市、白茆等地介绍经验。这一年十队的小麦亩产过单纲，比上年净增 150 斤。

粮麦亩产在蒋巷11个生产队中名列第三。

按理说，常德茂当年就在十队打翻身仗，第二年可以回大队部了。可常德盛对弟弟说："看来十队的农民离不开你，你再继续干下去吧！"常德茂也是好样的，二话没说，道："好，我听哥的。"第二年，常德茂又创造油菜大株合理密植的新经验。当时上面号召"三麦学塘桥（沙洲县），油菜学新华（太仓县横泾公社）"。新华油菜的种法是小株密植，一米种10棵油菜。常德茂经过实践知道这样不利于油菜发棵，便来一个一米6棵的大株合理密植。那时候这种种法是绝对不允许的。有人见了便说："你们绝不是新华式的，到底是啥式？"常德茂理直气壮地回答："庄浜式。"因为十队的自然村落叫庄浜。人家摇摇头表示不理解。然而收成时"庄浜式"却大出风头，油菜籽亩产达到400斤，比"新华式"翻了将近一番。不用说，常德盛在全大队推广了十队的经验，蒋巷的油菜产量又迈上了新的台阶。

3年了，人们发现常德茂还是没有回大队部，并且一直从1970年干到1984年，担任十队队长达15年之久。他所在生产队自第一年起的水稻亩产年年增100斤，一直增到1300斤，成为当时全公社的冠军。

有人在常德茂面前竖大拇指时，这位"书记弟弟"却摆摆手说，"我是被哥哥骂大的"。此话怎讲？常德茂娓娓道来：那年正是"四夏"大忙的时节，有一天他和大队农机辅导员讲定机耕队前来十队翻耕。为此，他也和水电站的负责人约定灌水的时间，安排全队农民抓紧收割后准备耥田、莳秧。可是这农机辅导员不知怎么搞的，推迟了两天，还不见机耕队的踪影。"三夏"似救火，推迟一天看似不打紧，可误了季节会影响一熟啊！常德茂去找农机辅导员论理，哪想这农机辅导员反而强词夺理，说什么是前几个生产队耽搁了时间，责任不在他。于是两人争执起来，争论引来了众多围观者。常德盛闻讯赶来，不分青红皂白将弟弟狠狠批评了一顿："作为一个大队农机辅导员，要考虑全大队的事，又不是专为一个生产队服务的，更不是随便听你常德茂一个人使唤的，你要理解、谅解才对啊！"弟弟感到很冤枉，便回敬道："这么说，是我的不是了？原来讲定的为什么随便变更？你当书记的袒护他，我常德茂不干了！"望着弟弟远去的身影，常德盛一下愣在那里，久久没有移步。晚上，他来到弟弟家，和颜悦色道："德茂啊，在那种场合上，我只能批评你，谁让你是我的亲弟弟呢？你想，今天与亲弟弟翻脸，明天就会握手言和了。与别人就难了，有的甚至会记恨一辈子。你说是吗？"哥哥一番话，说得弟弟笑了起来。

这样的故事在常德盛身上比比皆是。如果不是这样，蒋巷村就不可能依靠一副肩膀、两只竹筐，将一千多亩低洼地整整填高了一米！

这就是中国农民！这就是常德盛带领的蒋巷村农民干的事！

"天不能改，地一定要换"的蒋巷村在常德盛领导下干的第二件惊天动地的事是大搞农田基本建设。

这个战役是从 1975 年开始的，这一战役称为平整土地、填河填浜、开凿新河战役，它也是蒋巷村有史以来最艰苦的战役。

那时候，农业学大寨运动在全国轰轰烈烈地展开。蒋巷村借鉴大寨人整治穷山恶水、积极创造条件摆脱贫困的可贵经验，发扬艰苦奋斗、改天换地的精神，大搞农田水利建设，大力治水治土。

常德盛按照公社的统一规划，把县里的水利专家请来，让他们帮助蒋巷村在零乱的田块上规划新河。经过认真勘查，最后确定开凿一纵二横的三条新河。"一纵"就是新蒋巷河，"二横"便是四、五队的两条河。此外，还要对高低不平的田块统一规划，将农田格子成片成方，高度也将在同一水平线上。如此高标准的平整土地，所要挑动的土方达50余万。依然没有任何的机械设备，只有两只肩膀一副扁担。

为此，常德盛采取的方法是一次规划、分期实施、化整为零。

蒋巷村人清楚地记得，那是1975年的春节，天色灰蒙蒙，五队的张老伯去任阳镇喝早茶，路过姜阳圈子时，忽见田地里有个人影在晃动，不禁上前细看：啊，是常德盛！只见他独自一人，脱得只剩一件衬衣，正汗流浃背地在默默地挑土填河……

“常书记，是你啊？怎么起得这么早！”

“睡不着啊，就来这里了。”常德盛道。

“今天是大年初一，你也不歇歇？”

“唉，任务重着哩，得抓紧点啊！”

望着常德盛瘦小的身影，张老伯的心头一阵热乎。他知道怎么劝也不会将书记劝回家的，干脆折回家，叫醒了左邻右舍，带上扁担和竹筐，与常德盛一起上工地干了起来……“那些年里，我们蒋巷村的人都是这样跟着常书记干的。”村民们这样说。

蒋巷人干得辛苦，干得拼命，每天跟着常德盛从清晨广播喇叭传出《东方红》乐曲起床，一直干到晚上《国际歌》声响止。据说不少蒋巷人现在双腿有点罗圈形，就是当年挑担子压出来的。然而蒋巷村自豪地说，我们人矮了几厘米，可1700亩的低洼地却长高了1米。

蒋巷村的地长高了，蒋巷村的人也不再比别人矮一截了。他们以自己的艰辛和汗水换得了让自然低头和别人的尊重。

联产承包责任制实施以后，各家各户分头耕种，劳动力难以组织，有不少地方水利逐渐失管，田地淤积严重，稻麦产量明显下降。然而蒋巷村在常德盛的带领下，农田基本建设依然做到“三不”：目标不移，任务不减，标准不降，并且将任务落实到各家各户。在全国实施联产承包责任制那一年的秋收秋种结束到春节前后这段农闲时间里，其他地方的农村都忙着自家的活，唯有蒋巷村的干部群众聚集到他们的领路人身边，又一次摆开了大搞农田基本建设的战场，其劲头和热情丝毫不减。时任常熟市委书记的孟金元同志闻讯赶来，当他看了蒋巷村人的那股热火朝天的劲头后，不无感慨道：“蒋巷村人就是不一样，也许这样的情景在别的地方再也不容易看到了……”

当地平了、洼填了、田头的庄稼长得比别人的更加繁茂时，常德盛想到了蒋巷村的另一个大目标——把散落在各处的自然村落进行集中规划和修建。“改天换地，包括了村容村貌的整治。蒋巷村要彻底换掉穷相，得把旧房子推倒重建！”常德盛在会上让自己久积在心头的话一出口，便得到了全村人的一致拥护。然而，盖房和将零星散落的自然村落集中起来规划整修，是件远比治理低洼地和“送瘟神”要难得多的大事。

那会儿，农民们大多手中无钱，谁家造得起新房呀？

“统一规划，靠集体力量。”常德盛说。

其实，那会儿蒋巷村的集体底子很薄，怎么办？常德盛想出一招：农民盖新房，先由村里垫付资金，再同协作单位沟通后，统一供应黄沙、水泥、砖瓦、木材等建筑材料，在此基础上分片分批实施。其后，他们先将蒋巷片的 4 个生产队规划统一推旧房、盖新房。之后又将黄米泾片的 4 个生产队的改造旧房工程完成，最后又将徐巷片的 3 个生产队的新房盖齐。1979 年、1980 年两年中，除极少数房屋未建造外，全村拆旧房、盖新房的工作基本完成，80% 以上的房屋翻建一新，齐刷刷的二层农家小楼将整个蒋巷村彻底换了样，处处呈现社会主义新农村的万千气象。

当一幢幢整齐的农家小楼崛起在绿色田野的另一头时，常德盛发现昔日他与农友们战天斗地填平垒高的农田及河网湖泊仍然零乱无序，于是一幅新的农田规划蓝图又在他脑海里呈现……

这回他不再是自己在那儿比比画画了——他请来了市里和省里的农业专家及设计师，并向他们要求道："蒋巷村的新农村，不单单是农民们有洋楼别墅住，每一块田地、每一条河流也要方整划一，有讲究，有美感……"

"瞧这常书记，他把村子里的庄稼地当成花园建。"专家和设计师们敬佩这位新农村的带头人。

这一仗不易，整整10年工夫。

再看这10年后的蒋巷村，处处路见方正、田如棋盘；再看河道，弯直有序，水路整洁，活渠相接，完全的标准化设计。且有道必有渠，有道必有林，郁郁葱葱的林带气宇昂然地伴着水渠环绕全村，成排成行，形成独特的自然景观。宽阔笔直的河道两旁，都是水泥板修建了驳岸，河池里种满了水菱、荷花，把田野装点得分外美丽。而好看加实用是蒋巷村田野风光的一大特色，你若驾驶拖拉机、小汽车和运肥车辆，则可通往任何一方大田；你若行船，每一条河流与湖泊之间是相通的，水面上鱼欢鸟飞，一派生机盎然。田间的灌渠，更是四通八达，或固定的埋地管渠，或敞开的明道分沟……

"像是电脑里打出的彩图。"农民们这样形容自己的新天地。

君不知，为了这番景象，常德盛带领全村400多劳力，历时苦战32年，累计投放劳力60万余工日……

昔日为人歧视、闻声即逃的"泽国"加"血吸虫病瘟疫区"的蒋巷村不见了，取而代之的是人见人称美的苏南佳景。

这在一般人的眼里已经是一次翻天覆地的变化了，然而在常德盛眼里，这仅仅是蒋巷村走出穷困的第一步。这位每天与土地打交道的农村干部清楚：靠天吃饭的农民，如果不能把薄地变成高产田、将乡亲们从繁重的体力劳动中解放出来，他这个干部就基本上属于平庸之辈。可是要想在传承了几千年的农耕方法上做文章，尤其是坚定执行了几十年“农业学大寨”的惯性下进行颠覆性的农耕新革命，这比平土地整河道不知要困难和复杂多少！

比如20世纪六七十年代种植双季稻便是一例。

在江南大地，一年两季，冬麦夏稻、春种秋收是几千年农民们积累的经验。然而到了一切服从“多打粮”的年代，加之全国性的“农业学大寨”运动开展之后，这样的传统耕作方式被彻底颠覆了，“双季稻”便是那个时代的产物。有限的日照，打不破的一年四季温差，非得插种半生夹熟的一季水稻，其结果是农民们苦不堪言，而“三三得九”的收成更被看成是当时的“农业战线上的一场先进性革命”。更可悲的是明明是劳民伤财的“双季稻”，却被冠名为“革命稻”“方向稻”。

常德盛为此长时间地痛苦过，他想不通为什么明明是违反自然规律的成果，却偏偏成为一种“革命”和“方向”了？

“你老常平整土地，改造山河，难道不是学大寨的胜利成果？”有人对常德盛抗拒种植“双季稻”的做法提出严厉责问。

“是，我们蒋巷村整治穷水薄地学的就是大寨人的艰苦奋斗、改天换地的精神，可硬要把‘二五一十’的传统耕作经验，用‘三三得九’的所谓‘革命稻’‘方向稻’来替代，这怎么行呢？我们农民兄弟姐妹们不怕多吃苦、多流汗，但汗不能白流、苦不能白吃，总得有结果才让人信服吧！”每年的种植规划会议上，常德盛这位“先进干部”却总是成了“不听话的”的“落后分子”。

“老常啊，上级有要求，让你种什么你就种什么，让你种多少你就种多少。”种地人要听不种地的人指挥，这是中国农村社会主义建设历史过程中曾经有过的一段漫长岁月。

“不行，我们当干部的不能只顾自己到上级那儿讨表扬、领红旗，得对得起祖宗留下的土地和百姓才是。”别看常德盛个小气不粗，可每每碰上跟种田不对路、对百姓没好处的事，他顶起牛来乡里市里再大的官都拿他没办法。对眼下刮起的“双三制”，常德盛心里有底，那是不科学、不实事求是的。凡是不科学不实事求是的事，到头来受害最深的还是百姓。我是共产党的干部，不能做对不起百姓的事。于是在社员大会上，常德盛宣布：“从实际出发，我们蒋巷不种双季稻！”

那个年代，敢做这样的事，他常德盛是吃了老虎胆了。

“老常，听说你们蒋巷明年开始不想种双季稻了？”

“有这事。”“三级干部会”上，常德盛被一位主管领导叫住后追问起来。

“为什么？”

“你不是不知道，我们这儿实在不宜搞‘双三制’。蒋巷地处低乡，一年一季麦一季稻，这一旱一水的农作物，对平衡土壤生态是十分科学和有益的。现在改为一年种两季水稻，就等于让土壤多在水里浸泡一倍时间，再加上大量的化肥、农药……这样下去会把我们苏南鱼米之乡的土地全给毁了嘛！”

“这个嘛……嗨，那么远的事先不用去管。跟前是我们要执行好上面的精神，你们蒋巷是老先进，可不能逆风摇柴船哟。”

“那可是劳民伤财的事呀！我们共产党人不能做这样缺德的事。”

“这个嘛……可能不假。但你我都是干部哩！”

“干部怎么了？”

“你说怎么了？干部就得既要管下面，又得听上头！这你该明白吧。”

这一来一回的对质，常德盛一直占上风，可问到这句话时，轮到他常德盛发怵了：是啊，自己一边是共产党的干部，一边是老百姓心中的共产党人，这可是个难题啊！那一宿，常德盛翻来覆去没合眼。妻子秀英说，你一夜不眠，左个共产党的干部，右个老百姓的共产党，说来说去，你常德盛不就是个共产党干部嘛！

常德盛突然从床上挺起身子，自言自语道：对啊，我常德盛就是一个共产党干部嘛！既然是共产党干部，就得多做为人民、为社会有益的实事、好事！想到这儿，常德盛一下安然躺下。

听说不用种双季稻了，蒋巷村的群众顿时欢呼起来："常书记又把我们蒋巷人救啦！"

常德盛一听赶忙摆手，说："先别讲谁救谁，到时候就看我们一起能不能把这台'双簧戏'唱好了。"

蒋巷村的干部群众立即明白了他们支书的话，于是异口同声道：

"一定把'双簧戏'演好！"

这不，看"戏"的人说来就来了——

"这是怎么回事？开会时你们蒋巷报的'双三制'面积可是百分之百呀，怎么还有那么多的田块没落谷化秧呢？"身穿中山装的上级来人站在田埂上一脸的不高兴，说，"把你们的书记叫来，马上！"

"常书记他这阵子累病了，上医院去了。是不是等晚上他回来后您再跟他说？"一名队干部很乖顺地出来说。

"在哪家医院看病？"

"这可说不准了，是哪家医院呢？"

"行了，行了，明天一早让他到公社里来！"

这位公社干部一走，这名队干部赶紧奔到另一块田里，将这边的情况告诉正在劳动的常书记。常德盛听后一笑，说："那就明儿去吧，丑媳妇迟早要见公婆的。"

第二天，常德盛准时去见那位领导。

“老常啊，你们第四生产队为什么到现在都还不落谷化秧，还有七队，八队，行动都那么慢，这是怎么回事？听说他们想坚持种单季稻，有这事吗？”这位领导开门见山地说。

“这……这不太可能吧。”常德盛支吾了一阵，然后很果断地说，“我马上回去查一下，你看行不行？”

还有啥不行的？难道能马上拿你常德盛问罪吗？这位领导心中这么想着。嘴上说：“过一阵我还要到你蒋巷检查，你可别再‘上医院’了啊！”

常德盛一听，装着不知怎么回事似的说：“昨天我感冒了，到公社卫生院配了几粒药片。”

“那好，但愿你们对执行种‘双三制’的中央精神不要抗拒。”

“哪敢，哪敢。”

尽管在领导面前常德盛表现得一脸轻松随意，可那句“但愿你们对执行中央精神不要抗拒”的话，着实够千斤重，一下压在了这位农村基层党支部书记的肩上。回家的路上，常德盛觉得两腿像灌了铅似的，特别沉。

什么事都可以瞒天过海，可唯独地里的庄稼瞒不了谁。为了少种甚至不种双季稻，常德盛不知冒了多大风险，跟上面的人兜了多少圈子，作了多少次“深刻”检讨。每年种植规划时，常德盛是挨批挨骂的罪人；每逢播种时节，常德盛是东躲西避的难人；可是一到收成年关时，常德盛又是响当当的红人——蒋巷种的都是单季稻，可获得的产量却比别人种双季稻的高，向国家上交的粮食也多。

不过，在“顶风”种单季稻的那阵子，常德盛有件事从来没对外人讲过，那就是他坚持种单季稻的做法，曾得到当时的公社党委书记范龄森暗地里的支持和公开的默认。30 多年过去后的今天，常德盛谈起此事，怀有深情地说，当年要不是像范书记这样的领导支持、默认，我常德盛骨头再硬，恐怕也要被来自各方的巨大压力所压扁、碾酥。

常德盛不是一个头脑简单的“莽撞者”，他更是个善用脑子的智者。其实他一直在认真反复地摸索着单季晚稻的高产种植经验。凭其几十年在泥土里打滚的丰富阅历，他与几位农友试着播种插秧时施足有机肥料，又组织社员大积草塘肥，动员各家各户养猪养羊积猪灰羊灰肥，并推广了十队的“猪棚造肥”做法，不失时机地施足发棵肥和壮谷肥。同时，密切注意虫情，努力掌握其规律消灭虫害。况且常德盛还是个高超的种植能手，他能准确地说出啥时候下什么肥、下多少肥，啥时候有什么虫害出现，应该用什么药、用多少药。他还十分注意培育引进新品种，重视引进那些抗倒伏、抗虫害的优良品种，而且往往当年少量试种，次年在全大队大面积推广。

经过如此点点滴滴、生生不息的积累，昔日贫瘠板结的土地，开始松软流油，肥沃淌金……在常德盛用心血精心浇灌下，蒋巷村的单季稻终于一年又一年地战胜了周边所有种植双季稻的生产队。1975 年，蒋巷村的水稻单季亩产超千斤，名列苏州市前茅。之后几年，又在江苏省榜上有名。至此，顶风不种“双季稻”的蒋巷村才被刮目相看，而常挨批、做检查的常德盛也从此在领导眼里重新“红”了起来。

某日，公社领导直下蒋巷田头，找到常德盛便“求情”起来：这回你再推辞不介绍种单季稻的经验，我们可要搬出全体党委委员来请了！

某日，县委书记亲自点名道：今年的“四干”会上，必须安排常德盛讲一次话。

某日，著名土壤专家熊毅成一脚踩进蒋巷村刚翻耕的麦田，捧起一把松软的泥土，不禁欣喜若狂：“这是真正的流油地、海绵田！”那天，一生从不沾酒的老教授却在蒋巷村一醉方休。稻穗上浆时，各地前来参观的人络绎不绝，最多的一天排成二三里的长队环绕全村的田头整整一周，光用于招待的茶水就连烧了 18 大锅还不够。那长长的队伍里头有著名水稻专家陈永康，有苏州地委全体常委，有蒋巷村周边十里八乡的生产队干部……参观结束后，时任苏州地委书记戏谑地问常德盛：“老常，你再说一遍，究竟是单季晚稻的产量高，还是‘双三制’产量高？”这架势反倒把常德盛暗暗弄吃惊了，不过常德盛还是说了自己常说的一句话：“在我们蒋巷村目前情况下，单季晚稻的产量绝对比‘双三制’的高。”

在场的领导们脸上终于露出了满意的笑容。地委书记紧攥着常德盛的手，说：“你有胆有识，真是好样的。有你这句带‘绝对’的话，我们就可以放心大胆地在此次会议上宣布：苏州地区的所有农村，今后用不着一定要种‘双三制’了！”

这一年，常德盛名声大震。这一年，常德盛当上省劳动模范。

而常德盛创造的小麦“免耕法”，却又一次遭受到巨大的政治压力。然而，它得到了专家的肯定和村民们的支持。结果，蒋巷的经验上了杂志，“免耕法”在全省推广。

常德盛是个好琢磨事的人，怎样在有限的田地里种出更多更好的粮食，同时怎样让农民从繁重的体力劳动中解放出来，他满脑子都是问题。比如，水稻、油菜的亩产上去了，三麦能否同步前进……

每天，常盛德在田间地头转上一圈，脑袋瓜就转了十圈百圈。

突然有一天，常德盛发现了一件奇怪的事：那是秋播时节，他不小心把催过芽的一盆麦种打翻在稻板地里。当时老常忙着要去干其他事情，就随手把麦子往稻板地的四周均匀地扫了一下，又铲上几锹泥土将麦种微盖后便再也没去管了。今儿个巧了：在他低头看田时又过此处，发现这一小块没有翻耕的稻板地里的麦种分蘖密度出奇地高，苗势也异常旺盛。怪哉！老常十分惊异地蹲在地头琢磨起这事来。他细细分析后，觉得此种现象不可小觑。苏南一带的土质都比较黏，翻耕后虽透气性强，但容易风干、冷冻，这对小麦生长是极为不利的。要是都像这一小块稻板地那样采取免耕种植，既可节省大量工时，又可抓住季节，确保麦子在初生期的土壤湿润和延长整个麦禾生长期，那便定能提高产量。对，我就来试它一把！”

第二年秋播时，他带着一群种地能手，一面向大家做种植示范，一面十分洒脱地对前来观赏的乡亲们说：“从今开始，我们可以种麦不用耕，只等来年夺高产就是了！”

众乡亲好生奇怪地问：“常书记你这样不费力气地种麦，而且还能来年收高产，是啥道理？”

常德盛笑说，大道理说不上来，但有一点是肯定的，那就是免耕法由于不用等稻收后就实施播种，这样至少比传统的等到稻熟收割后再翻地深耕播种出的麦子生长期多了十几天。俗话说得好：种早不慌，起早不忙。这免耕法最大的优点，就是“赶早”。

在蒋巷村，常德盛书记的话没有人不信。就这样，众乡亲学着常德盛的样，边说边笑地一下播种了400亩免耕麦地。果然，一个来月后，这400亩免耕的麦地长得异常旺盛，而那些深耕的麦地此时才露出一点点绿苗儿……然而就在常德盛和乡亲们为自己独创的“免耕法”取得成功而兴高采烈时，上面坐办公室的人发大火了：“什么免耕法，分明是懒仆麦！”

那是啥年代？别说免耕，就是浅耕也得从“路线高度认识问题”。

“你们必须在规定时间内全部铲除免耕的麦地，必须重新深耕播种！”

在一道指令两个“必须”下，蒋巷村无奈把好端端的400亩绿油油的麦地全部翻耕重播。为这，倔强的常德盛蹲在田头哭了大半天……他不明白：为什么那些瞎指挥的人不到下面做些调查、听听群众的意见？

“毁苗事件”在蒋巷和蒋巷四周引起强烈震荡，给常德盛的压力是可想而知的。但所有挫折和压力并没有阻止常德盛为百姓谋利益、为百姓做实事的坚定信念。第三年秋播时，他照旧搞起了自己的“免耕法”。

虽然村里的群众打心眼里支持常书记的“免耕法”，但大伙儿又不忍心看到他为此挨批受屈。常德盛在“毁苗”后再度在村里大面积地免耕种植三麦，着实让村里上上下下为他担忧。尽管全村干部群众都相互自觉地保证绝不向外张扬常书记下令播下的免耕麦地，但这么敏感的事难免有透风的时候。

一个深秋的下午，几辆轿车直奔蒋巷村而来……常德盛在前一天就接到电话，说有位领导要专门来检查他播下的免耕三麦地。他不想让村里的其他干部群众为自己担心，没有事先将此事告诉大伙。可是现在当看到如此一队轿车直奔麦地，村里的干部群众一下着急起来，心想这回常书记又要吃牌头了（当地方言，即倒大霉的意思）。

轿车里下来一位高个大汉，脸颊红润，在市、乡领导陪同下，直奔田头。他们在即将开镰的稻田边，小心翼翼地分开稻秆，仔细察看着麦粒在稻板地上的生长情况，并不时地用放大镜窥测，用钢皮尺测量，又用手不时拣出几颗麦粒细细看一番……

“这些人葫芦里到底在卖什么药？”村民们为常书记捏着一把汗。大约折腾了个把小时，来人搓了搓手，直起身，神情异常严肃地举目远眺了好一会儿，最后他长长地做了个深呼吸，然后转身对站在一旁的常德盛说：“老常啊，你的胆子真大，一千多亩良田全部免耕？”

是褒是贬，一时琢磨不透。

没有人给常德盛介绍今天突然而来的这位“大领导”是谁，面对这位“大领导”说的这句琢磨不透的问话，老常似笑非笑地哼了两声“是啊是啊”。

轿车一溜烟地走了。这时的蒋巷人才问乡干部来人是谁？一问，才知是著名的小麦专家凌启鸿。

常德盛一听好后悔，心想既然是专家，就一定很讲科学。我搞“免耕法”种麦，讲的就是科学。不管“免耕法”到底有错还是没错，至少在科学面前，我和你专家该有共同语言吧？嗨，都怪我紧张昏了头，没有和这位小麦专家交谈交谈。常德盛苦笑着拍自己那颗已有白发的头颅。

自这位专家走后，蒋巷村的百姓担心“毁苗事件”再次降临，企盼上帝保佑能让这一千亩绿油油的麦地快快结出丰硕禾穗……终于，新一年丰收的夏季到来了。一千亩“免耕法”播种的麦田金灿灿一片，比其他所有非免耕的麦田要吸引眼球！

就在这时，常德盛又接到上面的电话通知，说省里有位领导又专程要来看“免耕法”播种的麦田。这次常德盛有点喜出望外，你道来者何人？原来还是那位小麦专家凌启鸿教授，不过此时凌教授已是江苏省副省长了。

这回不同的是，凌副省长一见到金灿灿的麦田，一改去年秋天看田时那副琢磨不透的神态，信步来到麦地，手捧沉甸甸的禾穗，连声对紧随其后的常德盛说：“好啊！老常，这回我要当着你的面肯定：这‘免耕法’三麦确实要比传统耕作的三麦好。你和蒋巷村人民为科学种田做出了不一般的贡献，我代表省委省政府祝贺你！”

“谢谢！谢谢！”此时的常德盛，紧紧地握着凌副省长和其他一些领导的手，含泪道谢。是的，三年中，为这“免耕”三麦的种植，他常德盛默默地忍受了多少冤屈、多少痛苦？特别是那400亩好端端的麦地当时被无情翻耕的场景，每每想起此事，老常的心就像被人用刀割了个口子……当常德盛收起又是辛酸又是激动的泪水时，只听凌启鸿副省长异常兴奋地向随同而来的省、市干部们宣布道："常德盛搞的这'免耕法'实现了'省力夺高产'的目标，亩产能打六七百斤，免耕种植后又每亩平均至少节省5个工时，这对有十几亿水稻田翻耕种三麦的中国农村可是一个不小的贡献啊！"

后来，常德盛发明的"免耕法"种植三麦，先是在苏南、苏北迅速推广，之后又在全国水稻三麦交叉种植地区全面应用。常德盛和蒋巷村的人都没有向有关部门申请过科学"免耕法"的专利权，但这"免耕法"即使不讲产量提高，光讲省工省时这一项，每亩至少节省5个工时。一个村、一个乡、一个县该是多少呢？那么一省、十省又该是多少呢？

常德盛的贡献大如天！

话说常德盛的蒋巷村，1979年，他们的三麦亩产超过700斤，加上水稻的高产量，一年粮食亩产超一吨。喜讯传出后，惊动了农业部，有人为此在刊物上发表了题为《荒草洼飞出了金凤凰》的文章。全国著名水稻专家、老劳模陈永康看到后，专程从南京来到蒋巷村。他在常德盛的陪同下参观了由低洼地垫高的大田，又向常德盛详细询问了水稻和三麦的种植情况，然后拍拍常德盛的肩膀高兴地说："老常啊！听说你老开'顶风船'，这股风顶得好，不但顶出了一个高产村，也给全省的种田汉们壮了胆。种田，就得讲科学，就得实事求是，就得有点创新精神，不能老靠上面的安排、靠红头文件指挥生产。"然后，他转过身对身边的人员说："我建议省政府在江苏大面积推广蒋巷的成功经验。种田人要学科学，带领群众搞生产的干部，更要像常德盛同志那样学科学。

不识字是文盲，不懂科学是科盲。科盲就好像是汽车上的轮胎没有气，没有气的轮胎会叫一辆汽车寸步难行，还要误事、害人！”

农业权威人士的这番话，让常德盛一颗久悬的心终于放了下来。此刻他的脸上露出了欣慰的笑容，他知道自己是在为农民兄弟们做着实实在在的好事。

第二章　施德于工——从富到强之路

"拼命三郎"常德盛，为了蒋巷村的富强，他甘心拿命来换。

1992年4月中旬，蒋巷村彩钢复合板4000平方米的厂房竣工，彩钢复合板试生产一举成功。

1995年底，常德盛将蒋巷村的村办工业企业组建为江苏常盛集团公司。

2002年，常盛集团的销售额再次跨台阶，达到5亿元。

2003年又突飞猛进，达到7亿多元。

2004年营业销售额突破10亿元……

蒋巷村依靠工业腾飞了：800来人的小村子，一年向国家缴税达6000余万元。而村民们的人均收入则已超过15000元。蒋巷村成了苏州地区最富裕的村级单位之一，成了全国闻名的社会主义新农村典型。

在中国农村工作的人，都知道这样一句话：要想富，得搞工。工，即工业。中国农村在经历分田到户、联产承包制之后，农民解决了温饱问题，一些劳力充裕的地方自觉不自觉地转向家庭副业。而在乡镇企业的发源地——苏南地区，从20世纪七八十年代开始，这里的村村社社都开厂搞工业，走出了一条从温饱到富裕的金光大道。但蒋巷村是个靠双脚踩在地里发展起来的新农村，什么底子与路数都没有。站在田头的常德盛期待着机会，他自知搞工业、做生意是蒋巷人的弱项，更是他常德盛的短处……

突然有一天，一位在外给人跑供销的村民脸带喜色地过来对

常德盛说 ：“常书记，有件事向你汇报一下。”

“来，有啥好事说来我听听。”常德盛竖起耳朵。

“这件事事关重大，我得给你详说。”那人点上一支烟，道，“有个姓李的上海人，愿意自带资金，不要村里一分钱投资，也不占片瓦之地造厂房，只要给他办个营业执照，刻枚公章，就可以帮我们村里一年赚上二三十万元。你干不干？”

“有这种好事？”常德盛有点疑惑。

“是有这种好事。”那人坚信不疑地，“这姓李的上海人我也见过面，他亲口跟我这么说的。”

“对方实在不实在？”常德盛颇为警惕地问。

“论长相，这个人倒是挺老实的，不像胡扯的骗子，他说话有根有据。他是做生意的，他的一个舅舅在上海一个大公司工作，光批几百吨钢材一年就可以赚上四五十万元。给村里上交的 30 万元是保底钱，如果生意做得大了，可以再增加个一二十万元。”

一向做事爽快的常德盛这回却沉默了。

“常书记，好事千万别滑过了。你说到底干不干？”

“这件事我有些吃不准，万事要细心、谨慎为妙。”常德盛说出了自己的担忧。

“对方还说，如果我们不放心，他可以先向队里交上 20 万元铺垫钱，等到年底再付清上交的钱。”

“那好，等到他 20 万元铺垫资金到账后再说。”常德盛想了想，觉得这样做有些靠谱，于是答应了。

莫非这李某就是点石成金的能人？

两天后，李某的 20 万元巨款如约汇到了蒋巷村的账户上，当那名供销员再次前来“汇报”时，常德盛仿佛觉得“财神爷”真的降临了，故而大胆拍板道 ：“就这么办，按他的意思办一个经营性公司。”

不久，李某拿了村里给他的公章和合同纸，欣喜若狂地四处奔走，埋头“做生意”去了……

时间过得很快。年底，村里上上下下都在盼望他的30万元上交款，可就在这时李某却若无其事地回答说：“不要急嘛，广州有50万元货款还未到账，等到账后一定如数上交。”

可这一等又是几个月，直到跨年的三四月里，仍不见李某上交的钱到账，再一查账，连他初时汇来的20万元铺垫资金也不翼而飞了。

做事一向诚实的常德盛此时已感觉到有些不妙。那个介绍李某来队的村民更是一次次惊慌失措地在常德盛面前忏悔。

那天傍晚，常德盛从外地出差回到村里，还未走进家门，就听到屋内传出几声异乎寻常的大嗓门声音：“你们不要再说好听的了，我们已经到你们蒋巷等了两天了，今儿就是坐一宿，也要把常德盛等回来！”

“对，叫常德盛出来！他不是先进干部嘛！别见了我们不敢伸脖子！快出来还我们的钱！”

出什么事了？为什么要骂我呀？在蒋巷当家数十年，常德盛还没有碰到有人上他门冲他骂骂咧咧的。常德盛不由快步进家门，没想到他刚前脚踏进门槛，忽地从里屋冲出两个彪形大汉将他夹在中间，并且瞪着两双血红的眼珠子吼道：“好个常德盛，你总算回来了！”那架势，俨然是要绑架的样子。

“怎么啦？有事好商量，先坐下再说嘛！”常德盛心想，我又没做亏心事，犯得着这样吗！于是他照旧客气地招呼站在一旁的妻子给客人倒茶让座。

那几条汉子根本不领常德盛的情，说：“有你大书记这句话就行！好，还钱吧！”

“还什么钱？”

“欠我们的债呀！”

“债，我们蒋巷村虽然穷一点，但根本没欠过谁的债。”常德盛斩钉截铁地说。

“好，你还敢赖账啊！”一个汉子把手指戳到常德盛的鼻子上，似乎要动手。

“你们说说清楚，蒋巷村究竟欠了你们什么债？”

听蒋巷的当家人这么说，一屋子的讨债人立即纷纷从怀里掏出数份各式各样的“合同”放在常德盛的面前。“自己看吧，白纸黑字，还有大红章！”

常德盛拿过其中的一份“合同”，可不是，上面清清楚楚地盖着“蒋巷村某某公司”的大红章，内容尽是借款或付款条款。天啊！是李某那个“公司”干的事！常德盛顿时脸色突变，知道李某给蒋巷村闯了大祸！

妻子秀英这时向丈夫细说起来：李某拿着蒋巷村的公章和合同纸，四处招摇撞骗，预订钢材等建筑材料，可人家钱汇去了却不见钢材，他将骗取的钱财东移西补，大肆挥霍。村里张会计把前来讨债的人提交的数字计算了一下，拖欠外债200多万元。这些被骗单位去寻找李某时，李某早逃之夭夭，不知去向。

“姓李的原来是个地地道道的骗子！这回他把我们害苦了啊！”秀英看着神情凝重万分的丈夫忍不住抽泣起来。

“常书记，你看怎么办吧！”

“对，快把钱还了，我们也不找你的麻烦了！”

“是啊，我们又不认得李某张某的，只认得这枚公章，也只认得你大名鼎鼎的常德盛。”讨债者又七嘴八舌地朝常德盛拥聚过来。

常德盛痛苦地沉默着，又痛苦地抬起头，只见他咬咬牙关，说：“好，这些账我们都认。”

“认账就好。到底是常书记嘛！”一群讨债人顿时活跃起来。

“但还债总有个时间！”常德盛突然高声解释道，“虽然李某欠你们已经多日，可我还是刚刚知道呀！你们总得给一点时间，让我们去筹措付还你们的账呀。”

“那——你说多长时间嘛！”

“对呀，我们可等不得一年半载呀！”

“我老常说话算数，蒋巷村也从来不会失信于人，你们难道不相信吗？”

“好，既然这样，我们就信你常书记一回。”众讨债人这才逐个散去。

等讨债人走后，妻子告诉丈夫，这些天来蒋巷讨债的人来自上海、昆山、太仓等地 29 个单位，共 50 人之多，他们已经在镇上的旅馆里住了三四天了，白天他们拥到村里闹，搞得翻天覆地，也不知谁透露的风声，说你出差要回来了，所以他们有几个人就跑到我们家里来吵了。

“我看你赶紧到外边躲一躲吧！你还不出债，他们非得吃掉你！”妻子又担心又心疼道。

“吃掉我能解决事情就好了！”常德盛有些怄气道。

这一夜，他没有合眼：200 万元哪！这个数字相当于蒋巷全村百姓几十年种地的全部劳动成果啊！想到这里，常德盛越发觉得自己做了一件不可饶恕的错事。

常德盛不由得悲切地痛哭起来。

妻子立即过来劝道：“就在这个时候，你千万不能倒下，有全村村民的团结一致，我们一定能渡过这一难关的。”这席话，给常德盛安慰许多。

不久，有 15 家单位把蒋巷村这家所谓的经营性公司告到法院，有 15 家法院同时发传票到村里。从来没有经历过“官司”的蒋巷村顿时谣言四起，人心惶惶。不少村民不愿在村里的一家塑料泡沫厂上班，怕拖欠工资，于是有三分之一的人不辞而别，外出自找门路。更有甚者，一些农户不肯卖余粮，生怕村里扣押粮款用来还债……这也难怪啊，200万元的大窟窿要填平需花多大的劲啊！蒋巷村全村几百号劳力，几十年拼命种地产粮才积累了多少？现在，15个法院同时发传票到村，还把他们的常书记告到了法庭，村民们自然有“天塌”的感觉。他们既为蒋巷村的命运担忧，更为自己的常书记担忧。

这时，有好心人对常德盛说：“现在有个企业《破产法》，你快申请破产吧！若要还清这些债，不知要到猴年马月。”

常德盛思忖片刻后，摇摇头，说：“这样做虽然合法，但不合情。我们这个经营性公司，是个皮包公司，没有什么‘产’可破。这等于利用法律来赖账。向我们讨债的人确确实实是被骗了，而且都被骗得很惨。要怨也只能怨那个骗我们的李某。但事情这样了，我们怨那个骗子又有啥用？我和我们蒋巷村要长记性的是干什么事，都得脚踏实地，天上是不会轻易掉馅饼的。我是共产党员，我们蒋巷村人是诚实的人，对待那些因我们的失足而受害的人，我们只有以诚相见，好好同他们商量，我相信人家也一定会理解我们的。”

怀着这样的愿望，常德盛没有立即去法院，而是主动到了15家“原告”单位，和他们讲清楚村里的现状，求得大家的理解，并表示一定想方设法尽早还清债务。

这时候，常熟市委领导得知老先进蒋巷村有难后，市委书记周福元亲自送来一笔缓解矛盾的资金。一些过去受恩于常德盛或者得到他帮助过的兄弟单位和上级部门，也纷纷伸出了援助之手。诚情之下，那些“原告”单位相继撤诉，使得蒋巷村暂时缓过一口气。

“绝不能一蹶不振，必须在困境中崛起。宁愿少活几年也要拼命把蒋巷经济翻过来，把工业经济搞上去。”面对这波风浪，常德盛痛定思痛，暗下决心。

他知道，搞工业经济必须有一定的基础和条件。比如，他们蒋巷村既没有区域优势，不靠国道，不在要道，更不是城郊，而是位居常熟、太仓、昆山交界处的“边区”，即使上镇上去也只有一条步行一个多小时的泥泞小道。人才优势更谈不上，全村干部群众中能对工业说出个子丑寅卯的几乎没有一个。村里别说没有大学生，就是高中生也是屈指可数。何况如今村里重债在身，哪有人还肯来投资？哪个银行肯给予贷款？

倔强的常德盛这回不管习惯不习惯，却穿起了西装，系上了领带，带着双腿的泥土，开始涉足商界……

功夫不负有心人，机会终于来了：这天，出差上海的村泡沫厂两名业务员回来报告常德盛：“书记，我们在上海一家企业，听技术人员在闲聊，说泡沫可以延伸生产彩钢复合板，那是一种替代墙体的新型轻质建材。它的特点是建造方便，外观美，造价低，是现代建筑的最好建材。我们村泡沫厂如果生产彩钢复合板就容易多了……”

“这轻质建材符合当今建筑业既讲究实用，又注重外观和当代人讲求时效的潮流，问题是这产品能否让市场认可？看来我们必须做市场调研，看它的生产可行性、技术可行性和市场可行性……”当夜，常德盛召开村委会。经研究，决定由他带领几个人搞市场调研。

时不我待，说干就干。第二天清晨，常书记他们启程赴南京，再到上海，走访了有关建设、设计单位。那些权威人士一致认为，轻质建材是当今世界建筑业的一种新型建材，它用途广泛，可建造各类轻体建筑物，国外时兴用该材料建造大跨度标准厂房，且外观美，造价低，又防火隔热隔音保温防震。结论是明确的：这种新型建材前景可观。

究竟干不干？风险到底有多大？

一日被蛇咬，十年怕井绳，吓破了胆的几名村干部还是小心翼翼，犹豫不决。

“干，当然要干！在泡沫厂的基础上创办轻质建材厂。”常德盛又一次决策拍板。

不过，这回常德盛精明多了，厂是我们蒋巷村的厂，当权的人也必须是我们蒋巷村的人。绝不能再搞什么买空卖空的皮包公司，要搞生产产品的实体经济。

经村委会推荐和上级批准，与泥土打了几十年交道的常德盛亲自兼任轻质建材厂厂长。

就在常德盛决策创办轻质建材厂不久，恰逢邓小平南方讲话发表。发展是硬道理！落后就会挨打，必须加快发展速度！神州大地又一次掀起加快社会主义现代化建设的热潮。乘着这股东风，常德盛将足迹伸向常熟、苏州、南京有关部门，四处筹措资金，逐级申请报批手续。

一直关注着蒋巷村发展的省、市领导和有关部门，此时都纷纷伸出热情之手，有力出力，有钱出钱。常德盛忘不了时任盐城市委书记的曹兴福、省委农工部部长府培生等亲自出面为蒋巷村牵线搭桥、筹措资金的一幕幕感人情景，还有时任常熟市副市长的王伟民为蒋巷引进资金 200 万元。常熟市各有关部门对蒋巷村申办轻质建材厂更是一路绿灯。任阳镇党委书记孔伟文在蒋巷村危难之时，代表镇党委、镇政府向那些前来讨债的单位和个人明确表态，如果蒋巷村最终还不出债务时，镇政府将是蒋巷村的坚强后盾。

“谢谢，谢谢各级组织和政府！”常德盛无数次地感谢和感激着各级领导。

在上级和众人的帮助下，常德盛很快在半年内就筹措到了600万元资金，随即便向有关企业订购设备，并在村里大兴土木、建造厂房……一时间，死气沉沉的蒋巷村呈现一派朝气蓬勃的生机，全村人又像投入到了当年常德盛带领平整土地、改天换地的战斗之中。

蒋巷村恢复了新的希望，新的景象。

1992年4月中旬，4000平方米的厂房竣工了，两条生产线安然落成，经过调试，彩钢复合板试生产一举成功。这天，在一片鞭炮声和人们的热烈掌声中，常德盛亲手把一块白底红字的厂牌挂在厂门口。

蒋巷村历史上第一个真正意义上的村办企业——常熟市轻质建材厂宣告诞生，它标志着蒋巷村新一轮的经济发展正式启动。这个古老贫穷的小村，又一次站到新的历史起跑线上。

尽管常熟市轻质建材厂生产的这一新型建筑产品——彩钢复合板，各项技术性能都符合技术要求，尽管彩钢复合板的生产在江苏全省还是空白，在全国的生产企业也为数不多，但前来联系购货的客户却几乎没有。看着新企业门庭冷落，看着这两条花重金买来的巨龙静静地躺着，看着银行里巨额贷款的利息不断膨胀，常德盛着急起来，蒋巷村的村干部们担忧起来，蒋巷村的村民紧张起来，有的甚至骂起娘来了……

村委会、村办公会议一个接着一个，与会者的劣质烟喷云吐雾，听见的是叹气和咳嗽声，却没有好的办法。

垂头丧气的推销人员一组组地陆续回来了，带着无望的唉声叹气。

“万事开头难。只要我们货真价实，不怕生意做不成！”常德盛决定亲自出马当推销员了。凭什么？凭一个诚字：诚朴作风，诚挚交往，诚实办事。千山万水走，千言万语说，千家万户求，千难万险磨……

“现在的问题是用户不信任你的产品，那么首先我去熟悉的人那里推销，让熟悉你的用户首先信任你，再信任你的产品。然后再让他们为你宣传、推销，这样比你去满街叫卖更有说服力，效果更好。”常德盛说。

常德盛毕竟是老劳模、老先进，农业先进时，到过蒋巷参观的各地领导、各路人马不少，都认识常德盛。先去找那些既认识熟悉，又近期准备大兴土木搞建设的人推销，确是上上之策。

常德盛找到时任副市长的胡正明，向胡市长汇报蒋巷村这一新项目面临的问题。胡市长十分热情地接待了老常，要老常去找常熟市协作办主任顾家梁。

“我不懂建筑，你去找一下我兄弟，他可能有些办法。”顾家梁的弟弟顾家椽原是房产公司总经理，时任常熟招商城管委会副主任。

毫无疑问，他是行家。

常书记喜出望外，立即去找顾家椽。

“这种新型建筑材料我在杂志上看到过介绍，不过没有看到过产品。”顾家椽说。

“请顾主任不妨抽空去我们蒋巷村实地考察。”

“实地考察谈不上。我愿意去学习学习。”顾家椽是个爽快人，立即答应第二天就去蒋巷。

顾家椽来到蒋巷后，仔细观察了彩钢复合板生产的全过程，对它的性能确认无疑。当下就和常德盛签订了建造500平方米的招商城房产公司售楼房的协议书。

谢天谢地，这是常德盛走过千山万水、说过千言万语后接到的第一桩生意。至今常德盛仍深深感谢这顾氏兄弟，因为是他们为蒋巷村的工业新产品向社会展示提供了一次难得的机会。

紧接着，常德盛又来到市饮服公司。

“吴经理，听说你们公司要在书院街东侧搭建一排小吃铺面。我们村生产了一种新型轻质建材叫彩钢复合板，搭建铺面最合适不过了。因为它既轻巧，又冬暖夏凉防火防震，经济合算，建造简便……”这回常德盛事先做了工作，打听到常熟饮服公司近期的建设计划，这吴经理也是常德盛的老熟人、老朋友。

“常书记，你现在也搞起工业来了……”吴经理是精明人，不会一下子表态的。

“是啊，学吃新米饭。”

“不过这种彩钢复合板我倒是第一次听说。”

“你可以去市建委打听打听，它是国际上新兴的建材产品。它可以涂各种颜色，用来建造铺面，真的太漂亮了，我们已在招商城建了一幢售楼房，你可以抽空实地考察一下。”

“多少钱一个平方？”

“大约100多元。”

“贵倒不贵。这样吧，你常书记不会骗人的。我那里有200来个平方，你让人先帮我设计一下，我用你的产品。”

“好！好！”常德盛从心底里感激这位老朋友，让他们的彩钢复合板能在繁华热闹的常熟书院大街上向广大常熟市民亮相。后来经过精心设计，这一排小巧别致的绿顶白墙铺面确实吸引了过街行人，成为常熟城区一道亮丽的风景线。

紧接着，常德盛和平永泉来到苏北海门，找到海门一家企业的陈厂长。“陈厂长，听说你们开发公司近期准备兴建一座厂房。我们厂生产的彩钢复合板，你可不能错过机会了。”常德盛还是这么说，也同样事先做了工作，有的放矢找上门去。

“新鲜，第一次见这种产品。”陈厂长摆弄着一块块色彩鲜艳的内为泡沫、外合钢板的新型建材十分好奇道。

“是新鲜。这种彩色钢板是近二三十年才在国际上迅速发展起来的一种新型喷涂产品。价廉物美。”常德盛面带谦和的微笑，娓娓而道。

“那它是怎么生产出来的呢？”

“不算简单，也不算复杂。它是经高速连续化学处理、初涂、精涂等工艺精制而成。其涂层比金属表面单件喷涂或刷涂的质量更为均匀，更为稳定，抗腐蚀性强，可长期保持色彩新鲜，是目前和未来比较理想的替代建筑与装潢材料的新产品……”

“真想不到还有这么好的新材料！”

“是啊，我们新生产的这种EPS隔热夹心板，是通过自动化机将彩色钢板压型后，用高强度的黏接剂把内外两层彩色钢板与自熄型聚苯乙烯泡沫板加压加热复合成的新型建筑板材。它外形美观，色泽鲜艳多样，而且轻质、高强，施工迅速方便，以板块拼装，不用大型起吊设备，又可无湿操作，集承重、保温、防火、装修于一体，不用二次装修。而且这种材料可广泛应用于大跨度结构厂房、保温隔热厂房、净化厂房、高中档组合厂房、冷库、集装箱房以及现有建筑物加层等多种用途……”

“听你这么一说，这彩色钢板还真是个好东西！你们是哪儿的现代化厂呀？”

“我们不是啥现代化厂，只不过是个村办厂，不过我们的产品确实是先进的，质量也是经有关部门检验认为是优质的。”

陈厂长很是惊异道：“村办厂？你们是哪个村？”

“常熟蒋巷村。”

“蒋巷……不就是老模范常德盛那个村吗？”

“对呀，你认识他吗？”

“认得认得，过去我听过他几次介绍经验呢，那可是真正的好干部、老实人哪！”

听客户这么一说，常德盛差点儿掉出泪来：“兄弟，你仔细看看我是谁啊！”

陈厂长不由细细将眼前这位银丝满头的老推销员从上到下端详了半天，突然惊呼道：“哎哟贵人啊，你，你不就是常书记嘛！”

“是，我是常德盛。你原是海门拼茶乡的陈乡长，我早认出来了。”

“哈哈……我们是老朋友了。你的货我要，肯定要！”

“别别，好兄弟，你先看看货……”

“还看啥？谁不知道你老常是个实在人！这批货，我们成交了。”

要说市场大门向蒋巷村和常熟市轻质建材厂开启，是在1994年底、1995年初，常德盛在承接到位于苏州观前街的苏州华联商厦加层建筑和昆山市人民路“三产”房开始的。那时候，苏州华联商厦急于扩建商业用房，但观前街是黄金之地，只能在二层平台上加一层。可混凝土建筑重量重，用钢结构件和彩钢复合板建筑，其重量仅是混凝土建筑的五分之一。蒋巷村的轻质建材厂接到这一项目后，仅用半个月时间就在其二楼平台上建造起一幢面积为700多平方米、外观漂亮的商业用房，令建筑单位十分满意。这是常德盛他们建造的第一幢钢结构房屋。

昆山市人民路“三产房”，共60间1000多平方米的门面商业用房，占据街道达300多米。建成后彩色搭配协调，无疑具有现代都市的韵味，令行人赞叹不绝。这是常德盛在外市树立起的一块牌子。

这块牌子树立后，连续接到了近10个工程项目，其中有计500万元产值的太湖旅游度假区的配套建筑建设项目，历时3年，共建近千间门面商业用房的苏州市街道“三产”房建设项目，第一宗整幢厂房总体承包，建筑面积达1万平方米、跨度24米、三跨并列的吴县太湖电动工具厂厂房建设项目等。

此时的蒋巷村，不仅前债还清，而且有了较多的积累。柳暗花明的蒋巷村，从此开始它的更加灿烂的天空与星月。

蒋巷村于1992年初创办轻质建材厂时，在全省独一无二，在全国也属凤毛麟角。可没过两年，小轻质建材厂如雨后春笋般涌现，能与蒋巷村拥有两条生产线匹敌的同规模企业也遍地开花。蜂拥而上的同行毫不留情地抢市场、抢技术、抢人才，相互间的竞争逐步成白热化状态。

常德盛立即意识到，必须迅速抢占市场制高点，加快发展步子。不进则退，小进亦意味着失败，大进才是赢得优势的根本所在。

自1994年起，常德盛在轻质建材厂的基础上，采取扩大外延发展系列产品，强化内部加快技术进步的策略，实现滚雪球壮大，阶梯形前进，跨越式发展，从而抢占市场制高点，扩大产品覆盖面。

一方面，在彩钢复合板产品的基础上，突出龙头产品——C字形桁条、钢柱等钢结构件生产。自1995年建造钢结构一车间后，2000年投资2000万元建造二车间，建筑面积达35000平方米。2002年又投入2000万元建造三车间，迅速形成规模优势和技术优势。目前，蒋巷村已成为江苏省钢结构件生产基地，其生产规模在全省同类企业中居于首位。与钢结构件配套，又连续开发金属波纹瓦、彩钢卷帘门、彩钢门窗、彩钢保温压型瓦、塑钢门窗等20多种产品，形成了以龙头产品带动彩钢复合板等配套产品，以配套产品促进龙头产品这样以月映星、以星拱月的良性循环的局面。1995年底，常德盛将蒋巷村的村办工业企业组建为江苏常盛集团公司。

另一方面，连续不断地引进新技术，加快老产品、老设备的更新换代，努力构筑技术优势。至2000年初，已将原有企业的老设备全部淘汰，更新了如H形钢全自动组立机、多头直条切割机、喷丸除锈机、多功能金属隔热夹心复合机组、德国产塑钢门窗全套生产流水线等国内外先进设备。

与此同时，常德盛把目光瞄准国外企业的先进技术和先进管理经验。2001年，他们分别与澳大利亚奥斯特机械有限公司和美国哥伦比亚铁制品有限公司谈成两个合资项目，引进澳大利亚和美国具有国际先进水平的钢结构、彩钢复合板生产设备，两个项目总投资近400万美元。与澳大利亚的合资项目常熟常盛金属制品有限公司已当年投产，它对于提高江苏常盛集团公司的产品、技术档次有着重要意义。与美国公司合资的苏州哥伦比亚钢建筑结构有限公司，年生产出口重钢钢结构件1.5万吨至2万吨，于2002年下半年投产，年销售额超过一亿元人民币。它的投产，使江苏常盛集团公司涉足高层建筑领域，在建造10层以上高楼的广阔天地里大显身手。

近年来，常德盛把发展目标一再加大。做到5年规划3年实现，3年目标两年完成。他的劲一直鼓得足足的。有人说，他不忘集体事业，不忘全村百姓的冷暖，唯一忘掉的是自己的年龄、自己的身体。

江苏常盛集团副总经理平文彬说 :“常书记为了让我们集团公司在市场竞争中保持独特优势，带领我们引进技术，开发项目，马不停蹄地拓展市场。重大项目和重大业务，他都亲自调研，亲自过问，拍板决策。他意识超前，决策果断，工作极为负责，保持着旺盛的干劲，仍然像当年大干农业一样，精神抖擞地走在最前列。他牵挂着村里的大小事情，夜不能眠，清晨睡不着，夜夜盼天亮，天不亮就起床，每天早上6点半召开由集团公司分厂厂长以上干部参加的晨会，交流前一天的情况，部署当天工作……”

平文彬这样夸常德盛，其他人何尝不夸他呢？他用他的实际行动影响着周围一大片人。为了了解和掌握市场信息，为了巩固和扩大产品市场覆盖面，为了沟通方方面面的关系，常德盛在家当书记，出门便是信息员、推销员。一年四季，他坐辆长安面包车，马不停蹄地穿梭于江浙沪大中城市。隆冬一身冻疮，酷暑衣挂汗迹盐渍。不计时间，不管饱饿，没命地来回奔波。

他常常凌晨一两点钟启程，本省范围不管路途多远，总是赶在人家上班前抵达该单位。1995 年初春的一天，启明星刚刚在广漠的天幕上露出笑脸，常德盛就和平文彬出发上南京，去省消防厅办理企业防火生产许可证。省消防厅的同志早晨上班见老常已守候在办公室门口，说：“老常，你这么早，是昨天到南京的？”

“不，今天刚刚到达。”

“这么早？”

“我凌晨 1 点钟就启程的，晚到，找不到你们呀！”

“好，好，我马上帮你办。”经办者感动不已，没费周折就办完了证。

离开省消防厅，常德盛又去了几家用户走访。下午赶到扬州市，和那里的一个单位谈成了一笔价值 30 万元的业务。由于次日要和另外一位同志去常州，故当晚赶回家。司机将常德盛送到家门口时，已是凌晨 2 点了。他在床上半卧了两个小时，清晨 4 点又匆匆启程去常州。当天，他们和常州客车厂签订了搭建 14000 平方米厂房的业务合同，回到家已是晚上 10 点钟。翌日清晨，他又赶往苏州开会。

就在这次上南京不久后的一天，也是这么急匆匆赶路。那天准备去张家港办事，车到唐市附近时，疾驰的长安面包车与突然从一侧驶来的一辆摩托车相撞，坐在右前座的常德盛一只左眼被撞瘪，膝盖骨骨折，整口牙齿被撞错位。常德盛浑身是血当场昏迷过去。司机吓得全身发抖，同车的平文彬等人马上拦车把常德盛送往唐市医院救治。途中，常德盛不住地呕吐，吐得满口是血，到医院后才知整口牙齿错位。在唐市医院未待半小时又送常熟市第二人民医院，在常熟二院期间，一连 20 天不能进食，只能靠喝汤维持生命。

常书记出车祸的消息传到村里，村里上上下下都惊呆了，年纪大一点的村民放声大哭："常书记，你不要这样没命地奔波了，你千万不能有三长两短，我们蒋巷全村的村民全靠着你啊……"全村男男女女乘车去常熟二院看望。

他们都要看看常书记为村民遭了多大的罪，都想慰问慰问为百姓卖命的好书记。小小的病房里，挤满了前来看望慰问的蒋巷村村民。连走廊上也站满了人，影响了医生工作。有人反映到院部，院长出来干涉了，劝阻、说服都无济于事。于是村里不得不动用高音大喇叭叫喊："不要拥到医院去看望常书记了，这样会影响医生治疗，影响常书记康复。"然而，前去看望常德盛的村民还是络绎不绝，他们都自称是常书记的亲戚。可护士们发现，这些亲戚天天都是新面孔。

按医生说，半年后那只受伤的左眼才能动手术，可常德盛"好了伤疤忘了痛"，依然那样的忙碌，那样不知疲倦地连续作战。医生约他几次都由于他无暇抽出身来一再推迟。后来，直到医院医生登门来凑他的时间，才利用一个晚上在镇医院里就近动了手术。如今他的左眼视力仅 0.2，外形明显凹瘪。但也是不幸之中大幸，身体没有多大损伤，恢复得也较快。村民们都说，常书记一生做好事，时时处处为百姓谋利益，老天爷有眼，菩萨保佑，他命大福大啊！

尽管出车祸、伤眼，常德盛不会改掉过去办事雷厉风行的传统作风，依然我行我素，依然一日当成两日用，三步并作两步行。

是呀，常德盛的生命像一团烈火在燃烧，他拼命地工作着。但机器也要保养加油，常德盛这么长时间高速“运转”，身体不垮才怪呢！

那年7月中旬的一天，他冒着炎夏酷暑，上午到常熟市计委等几个部门办事，感觉体温高，周身不适，但仍坚持下午去苏州谈业务。回到常熟已是晚上7点多，本想直接回家，忽然想到常熟城里有家单位要建自行车棚，便径直来到这个单位负责人的家中。碰面时对方握着他的手，马上惊叫起来：“老常，你手好烫啊！在发高烧？”

“热度可能有一点，还好！”常德盛回答说。

晚上10点多钟，他回到家里，胡乱洗个澡就躺下了，头痛得厉害，一量体温39.5℃。他爱人心疼极了，嘀咕着：“看你不要命了，寒热这么高，还东奔西跑！”

第二天清晨5点半，他还是坚持起床，照常骑上自行车来到村里。开班前会，安排工作。如释重负的他这时才觉得浑身像散了架似的。看着他苍白的脸色，有人劝他到任阳或常熟治疗，他没答应，坚持在村医务室就医。经诊断，是胃肠道感染，劳累过度而致。头一天他输了5瓶液，次日接着输。他人躺在病床，可头脑里还在紧张地盘算着企业的业务，他猛然想到海门有笔400万元的业务，必须马上前去洽谈拍板，便要拔去针头赴海门。俞秀英急了，坚决不让丈夫离开病床，医生也苦苦相劝，可他听不进去，坚持拖着病体当天赶抵海门市。

从海门回来，已是深夜12点了，司机把他送到村医务室继续输液。这下他确实“萎蔫”了，以后连续4天爬不起来，连输16瓶液。然而他还是工作不断，把人叫到病床前听汇报、出主意，指挥生产和经营……

常德盛是名副其实的“拼命三郎”，为了蒋巷村的富强，他甘心舍命换星月。

上海斯米克陶瓷有限公司的3万平方米厂房，是江苏常盛集团在上海浦东承建的第一个建设项目，它的质量优劣，关系到江苏常盛集团能否在上海浦东立足的大问题。常德盛要求每个车间、每条工道和吊装工程队，都严格按图操作，一丝不苟对待每道工序、每一个组装件。经过两个月的艰苦努力，这一建设项目如期竣工，工程质量令浦东开发区领导和台湾香港投资商十分满意。后来在上海市钢结构协会组织1999年度工程建设质量评比中，该项目被评为上海市钢结构项目建设最高荣誉奖——“金钢奖”。这是江苏常盛集团公司首次获此殊荣。从此，江苏常盛集团公司在上海浦东开发区名声大振，每年承接的建设任务有一二十万平方米，并且在2000年建设“上海海天电器有限公司”厂房中又捧“金钢奖”。

常盛集团捧第三只上海市钢结构工程项目“金钢奖”的是嘉定开发区的日资项目——诺日士电子有限公司的3万平方米厂房，这一工程项目承建具有喜剧色彩。

那是2000年底，江苏常盛集团公司参与投标，经过紧张角逐和浙江一家大型企业共同中标。常盛公司承建1.8万平方米，浙江公司承建1.2万平方米。和往常一样，常盛公司坚持“质量第一”，恪守信誉，紧张制作、施工，于2001年2月底完成了建设任务。可是浙江这家公司却迟迟不见行动，常盛公司的人还认为他们实力雄厚，到时候一举完成。嘉定开发区的同志捺不住性子了，一再打电话催促，才于3月下旬装去一卡车组装件。建设单位总算松了一口气，因为日商的设备已经进关，“五一”准备试投产。

然而，嘉定开发区负责该项目的同志前去验收质量，发现这批组装件都是未除锈的不合格品，气得验收人员当场让他们把货拉回去。这怎么办呢，离原定开工时间已经不远了，真是迫在眉睫。他们想到了江苏常盛集团公司，知道那是一支拉得出打得响的队伍，马上打电话与常德盛联系，让他们将浙江公司承建的1.2万平方米的厂房在半个月内完成。

常德盛在电话中听了对方几乎请求的话，知道在这半个月内完成一栋大跨度大面积的厂房建设，难度很大，但对方确是碰到了大困难，有难怎能不帮呢？他当即表示将竭尽全力完成这项艰巨任务。

答应对方后，常德盛在全厂实行总动员，一方面把安装队伍开进嘉定开发区，另一方面加班加点突击生产组装件。经过上上下下的紧张战斗，到第14天，一幢大型厂房奇迹般地拔地而起，不仅使这家合资企业如期安装设备，在“五一”试生产，而且工程质量令对方十分满意，同时还获得了“金钢奖”的殊荣。

诚守诺言，这是树立市场信誉的关键一着。常德盛和客户谈生意时总是这么说：“如果质量上有差错，工期上拖延一天，你们尽管提出索赔要求，我常德盛是一诺千金的。”

要说打硬仗的建设项目不能不提到常熟市的建材市场。这一建设项目是常熟市政府的实事工程，由市商业总公司主管，第一期3.2万平方米的商业用房要求在两个月内完成，由市招标办公室向社会公开招标。江苏常盛集团公司凭市场信誉和较低的工价中标。由于这一项目工程量大，有人担心常盛集团不能如期竣工，建议将部分工程分给另一家企业。可常德盛说：“请相信我们常盛集团的实力，我们常盛集团从来都是一诺千金的。”

然而常德盛也明显地感觉到肩膀上的分量，毕竟这一大摊的工程需要一个个蚂蚁啃骨头似的攻克、完成。他又一次为全厂做总动员，各个车间、工种订下责任书，立下军令状。他让一级项目经理钱卫东负总责，派后勤部长郑雪明坐镇工地确保食宿等后勤保障。

一场大会战在常熟这座历史文化名城的东北侧打响了。

公司车间内，天天加班突击生产钢梁、钢柱等钢结构件和其他彩钢复合板等组装件。工地上，天天干到深夜12点。整个工地灯火通明，如同白昼。公司总调度紧张调度人员，哪里缺少人马，就往哪里增派。一次，工地上急需20来人增援，有3人由于迟到未能上车前往，立即被常德盛宣布除名。是啊，军令如山，不这样严肃，能政令畅达、指挥自如吗？能攻得下硬仗吗？

在吊装阶段，3部汽吊齐上阵，两天吊装一栋房屋，20天就让10幢大型商品房拔地而起。连一直从事建筑的技术人员也感到惊奇。他们齐夸："这是用常德盛精神搞建设，常德盛精神已转化为常盛集团精神！"

多好的赞美啊！

自1998年至2001年，江苏常盛集团公司共承建大小建设项目154个，荣获省级以上优良工程奖的有86个，占全部建设项目的一半以上。他们是承建一个项目，打响一个项目。为哪家单位建设，哪家以后再有建设项目再也不会调换其他建设单位。

太湖旅游度假区1994年5月开业前，由常盛集团公司和其他两家生产建筑单位投标，结果由常盛集团公司以报价低、工期短而中标。该旅游度假区建设的房屋必须适应旅游特点，结构别致复杂，外观漂亮，且都是零敲碎打的小房屋。最大的面积700平方米，最小的4.5平方米，施工麻烦。然而常盛集团公司精工细作，动用了所有电工、安装队前往施工，在两个月的时间里完成了建设任务，令建设单位十分满意。前去观光的旅游者看了那些漂亮的建筑，纷纷打电话询问是哪家建筑单位施工的，还揽到了不少生意。以后，太湖旅游度假区只要有建筑任务，马上就会想到常盛集团公司，工程都由常盛集团公司承建。

张家港原市委书记秦振华讲得再透彻不过了。“我从未为人介绍过什么生意，可常德盛例外，一是他的人格魅力，二是他所领导的江苏常盛集团有良好的市场信誉……”他一连为江苏常盛集团公司介绍了张家港市振南纺织有限公司、张家港市华宝纸业有限公司、张家港市易华塑料有限公司等5项工程。

张家港市南丰镇永联村的工业经济十分发达，2001年的工业产值达27亿元，其村党支部是“全国优秀基层党组织”。村党支部书记吴栋才和常德盛相知但不相识。2001年底，永联村准备建造28000平方米钢材生产厂房。常德盛知道后，前去拜访这位赫赫有名的老书记，两人一见如故。次日，常德盛邀请吴栋才去蒋巷考察指导，在观看了坐落在任阳镇镇首的钢结构工厂后，便对常德盛说：“我们不要多看了，可以定下来了。我俩都是种田出身，都是实在的，你老常我信得过。”第三天就叫人写委托书让常盛集团公司设计。在设计中，常盛集团公司将原图纸需用钢材合理减少，每平方米降低造价600元，为该项目节省大量资金。

“做生意就应该像做人一样讲情义，讲信誉。尤其是我们蒋巷村的人在外做生意更要讲求人情和信誉。”这是常德盛一向的主张和要求。

常盛集团的一位受聘律师给笔者讲了一个常德盛与台商的故事：那是2004年企业改制前发生的事。当时这个台资企业欠我们一笔200多万元的承包建房款需要追还。那次是常书记亲自带我们去的。上午9点半我们到达目的地。这家台资企业是生产电子产品的，老板姓林，其厂房和办公楼都是我们公司承包建造的，总造价800多万元，已付了600多万元，尚欠200多万元。按照合同规定，已经逾期一年多了，所以常书记决定亲自上门催讨。接待我们的林总看样子有50多岁，面色憔悴，并没有想象中的风采。看到常书记亲自上门，深感愧疚，连说："对不起！对不起！"心里也自然清楚我们此行的目的。寒暄过后，我就以自己法律顾问的身份，要求他叫来财务人员，双方进行账目核对。经过整理清算，确认还欠我公司202万元。对账毕，我就告知台商，根据合同法有关规定，逾期应当另加利息和违约金。事已至此，台商连说"知道知道"，并无奈地告诉常书记：他其实并不是这家公司的老总，真正的老总是他的弟弟，去年3月，他弟弟由于中风而导致右脑偏瘫神志昏迷，弟妹一直侍候左右。公司则由兄嫂代为管理。时至今日，老客户走掉了，老职工也都跳槽了，单留下这个破摊子勉强维持。经过一年多的努力，略有起色，上个月刚好谈上一个项目，因缺乏资金，一直拖到现在。为了证实事情的真实性，林总打电话让他妻子将新签项目批准书拿过来。常书记拿起批准书看了看，又询问了林总几个情况。接着，就由林总带着我们一行人参观他们的厂区。到了休息时间，常书记低声对我们说："看来这家企业去年因为老总生病，在商海里摔了个跟头，喝了几口海水伤了元气。但今天看了员工情绪都还不错，人气也足，估计不至于破产倒闭，只是暂时性的困难，如今，逼他还债也不现实，不如放他一马，让他喘过气来。"

商议已定，我们回到办公室，林总一开始就切入主题："常书记，请你高抬贵手，我们欠的那笔债款能不能先缓一缓？"常书记爽快地答应了，说道："如今你们企业比较困难，你弟弟又卧病在床，但你接手后逐渐使企业有了起色，能做到这一点已经很不容易了。至于我们的欠款，可以拖一拖，明年3月份偿还，利息、罚金都不要了，但是到期要一次性还清。"林总听后，感动得泪花差一点掉了下来，他妻子更是感动得直想下跪，被常书记眼疾手快止住了。林总感慨地说："想不到大陆兄弟这样讲义气！"

在回来的路上，常书记对我们说：像这样的企业，其实并不是赖皮，而是确实有困难，将心比心，生意场上尤其要讲道理，不能落井下石，今天放他一马，说不定日后有大生意呢。

果然不出常书记预料。2006 年春节前，台商林总带着儿子来到常盛集团，不但一次性还清了所欠的款项，而且还带来了 1200 万元的钢结构业务订单，另外又给常盛集团公司介绍了两个新的合作客户。

江苏常盛集团公司，正是用常德盛精神武装每个员工，以“一诺千金”的优质守信，逐步在风云变幻的建设市场中矗立起一块光芒四射的丰碑；正是按照常德盛制定的营销策略：立足江苏，面向全国，占领大上海，逐鹿中原。

他们的足迹已遍及江苏、浙江、上海、安徽、江西、山东、河南、河北、北京、天津、湖南、广东……

1992 年建成轻质建材厂后，常德盛在工业经济的发展目标上不断提出具体的奋斗目标，提出当年实现销售收入 1000 万元，结果完成了 1336 万元。之后，他马上提出在 3 年之内销售额翻一番，结果到 1995 年翻了两番，达到 5339 万元。1995 年底，他又提出再利用 3 年时间销售额突破亿元大关。这意味着这个曾经工业经济滑到崩溃边缘的穷村，利用 7 年时间一举跨入亿元村的先进行列。由于上上下下的努力，这一宏伟目标如期实现，1998 年的销售额完成了 10027 万元。1998 年底，常德盛迈开步子向更高目标攀登，又提出利用 3 年时间再将工业销售收入翻一番，实现两亿元。结果又一次让全村村民和全公司员工惊喜：2001 年工业销售收入达到 2.5 亿元，比预期目标提高了 25%。

2002 年，常盛集团的销售额再次跨台阶，达到 5 亿元。

2003 年又突飞猛进，达到 7 亿多元。

2004 年营业销售额突破 10 亿元……

“常盛”真正强盛了！蒋巷村真的依靠工业腾飞起来了：800

余人的一个小村子，一年向国家交税达6000余万元，而村民们的人均收入则已超过2万元。蒋巷村成了苏州地区最富裕的村级单位之一，成了全国闻名的社会主义新农村典型。

常德盛因此也成了全国劳动模范，并光荣地出席了党的第十六次全国代表大会，受到江泽民、胡锦涛等中央领导的接见。后又成为中宣部推荐的全国农民增收致富奔小康宣讲团成员，到全国各地巡回介绍先进经验……

第三章　载德于心——从强到福之境

蒋巷村财务人员把常书记数额较大的个人捐款列成清单：

1998 年向长江洪涝灾害捐款 20000 元；

2005 年向常熟市慈善基金会捐款 60000 元；

2008 年向四川汶川地震捐款 10000 元，特殊党费 10000 元；

2009 年向台湾风灾捐款 2000 元……

这其中不包括 44 年来常德盛常年访贫问苦，扶穷助弱的小额捐款，这些捐款都是从他个人收入中拿出来的。

常德盛近 9 年来共上缴党费 44600 元……

经过几十年的风雨历程和艰苦奋斗，蒋巷村富裕了，集团经济富强了，百姓的生活如芝麻开花节节高，不说家家户户住进了崭新的别墅洋房，不说上学、看病、养老和日常生活享受全免或半免的诸多福利，单单看这里呼吸的纯净清新的空气和绿化美化的花园式环境，以及随意进出的阅览室、老年活动室、妇女之家、幼儿园、文化教育中心等应有尽有的学习娱乐场所，再看看小桥流水、长廊迂回、岸柳飞絮、碧波兰亭的农民休闲公园以及百鸟争鸣、花果飘香的生态园……如此这般的天堂式景象，令人不饮先醉。蒋巷村百姓过着无愁无忧、人见人羡的幸福生活，没有一个人不感激和赞美他们的老书记常德盛的。

春秋 40 余载，功盖绿水青山。常德盛以其坚毅的信仰、坚强的力量和坚忍的意志，实现了当年他向村民们立下的“天不能改，地一定要换，全村人人都要过上幸福日子”的誓言。这是一位共产党人的抚时济世胸怀，也是一位农村干部的高尚道德追求。

在今天的许多人眼里，一个掌权者，特别是又握有巨大资产的掌权者，如果一点儿不贪不占，似乎不太可能。确实，面对巨大的物质诱惑而心如止水，始终如一地保持节操，这需要很大的定力，这种内存的定力不是一般人所具有的，只有那些信仰坚定、心地善良、道德高尚者才能做到。

常德盛便是这样的人。

他有一句话一直印在村民心头："当共产党的干部，就得做好舍去一生荣华富贵的准备，就得甘心情愿地把一切好处给予自己的百姓，就得事事处处为自己的百姓解困解愁、谋求幸福。"

在当村书记40余年的漫长岁月里，常德盛做到了，而且是在点点滴滴、方方面面中都做到了。

对农民来说，也许没有特别惊天动地的事需要我们的干部付出和倾注，他们就是在日常的细小事件中感受着自己的干部是不是真心实意地在为他们服务和谋求幸福的。常德盛做的事看起来并不那么撼天动地，然而留在村民们心目中的记忆却是永恒的。

下面这些小故事都是在蒋巷村当村办秘书的老唐给我整理出来的，事很小，也很琐碎，但是用岁月的链条串起来以后，我们才看到原来这是常德盛情系百姓的心迹和事迹的珠串——

一把火烧出的温情

蒯春荣是蒋巷村人。2002年初，他掏光口袋底，到太仓沙溪开了家泡沫厂。临走前，他去与常书记道别，书记对他说："蛮好，你出去闯，碰到什么困难打电话给我。"有时蒯春荣回到村里，书记看到他总问他生产经营情况，鼓励他把厂开好。蒋巷村还有个个体协会，经常开会，常书记也经常来个协了解蒋巷村民个体经营的情况，鼓励农民创业致富。

蒯春荣开的是泡沫厂，厂在太仓沙溪村。

2002年国庆节前的几天，蒯春荣正在上海忙着跑业务，取货款，签订单。诸事顺利，9月27号那天上午他怀着满载而归的好心情驱车回太仓。

突然手机的音乐铃声响了起来，把电话拿到耳边，传来了对方急促的声音："蒯厂长，你今天要不要回来呀？就快点回来吧！"

打来电话的是太仓沙溪村支书张洪坚。

"什么事呀张书记，这么急？我还有半小时能到家。"蒯春荣问，心头掠过一丝不祥的预感。

"失火了，工厂失火了，快回来吧！"

听说工厂失火，蒯春荣心里也火烧火燎起来，心里七上八下的，急如星火地往家赶。

当他来到太仓沙溪，接近自己的工厂时，远远地看到工厂附近围了一群人，消防队员正在收水带。前几天还高高矗立的厂房已经不见了，只剩下一堆坍塌瓦砾和扭曲的角钢槽钢，还被熏得乌黑。

蒯春荣开的是泡沫厂，厂房面积1500平方米，厂子虽然不大，但他的心血全在里头了，塑料泡沫是易燃物，沙溪村支书告诉他，从起火到烧完只有一刻钟，火烧时，烈焰熊熊浓烟滚滚，火势紧得很，根本无法抢救，消防队赶到时，已经烧得差不多了。

虽然没有人受伤，但这短短的一刻钟烧掉了他的厂房、设备、原料和堆放在场地上的全部成品泡沫板坯，还烧毁了7辆摩托车、5辆自行车，什么都烧没了。而且更不幸的是，由于这幢厂房新建半个月，也没来得及买保险，整个厂子烧得只剩下一幢孤零零的办公楼。这该死的一把火烧掉了他所有的财产，也毁掉了他的希望。

这可怎么办呢？面对废墟，他一筹莫展，整个人感到瘫软。

火烧的第三天，出差在外的常德盛听到了蒯春荣厂失火的消息，回来的路上，他没回村，直接赶到沙溪蒯春荣的厂里。看着被烧得一塌糊涂的厂子，书记心里也很沉重，一时竟也不知说什么好了，蒯春荣看到书记后难过得流下了泪。

等到春荣平静下来后，书记问："春荣啊，你这个项目有没有前途？"

蒯春荣说："这产品做可以做，就是环保要求高些。"

书记又问："你有没有信心？"

蒯春荣说："有！"

"好，有信心的话，这厂房我来替你造，"书记说，"你放心。"

见蒯春荣有点为难的样子，书记又说："这你不用怕，造厂房的钱村里出，等你赚到钱再说。"

书记这句话，给蒯春荣打了气，他振作起来重新规划建厂。

常书记说干就干，第二天就在党委会上做出决定，立刻动员，出动村里的建筑力量用最快的时间，保质保量地为蒯春荣建一座新厂房。当天晚上，一辆辆满载着角钢、槽钢、水泥、黄沙和防火轻质建材的货车、工程车就浩浩荡荡地开到太仓沙溪，一个月之内，一幢面积 1500 平方米的崭新厂房重新矗立起来了。

重新开工之前，常书记专门去找蒯春荣，他反复叮咛说："今后厂里绝对不能有明火，不能在车间里抽烟，实在有人要吸烟到专门的吸烟室，还要有齐全的消防设备灭火器材，安全上一定要达标。"

蒯春荣握着常书记的手，含着热泪对书记说："书记放心，我一定按你关照的去做。"

常书记又对他说："资金不够的话，你跟我商量。"

"买设备原料的钱上海一家公司借给我了，够了。"

常书记听了这话，欣慰地笑着对他说：“那就好好干，尽快复工！”

如今蒯春荣企业管理规范，生产秩序井井有条，产销两旺。

“我永远不会忘了书记的恩德。我只望书记身体好，为村民多谋利益。”这是蒯春荣经常说的一句话。

从断桥到连心

兴生大队外围有条河，河上有桥，这桥是兴生村民造了没有多久的新桥，村里人进出都要经过这桥，它是兴生村与外面联系的主要通道。

1981 年的一天，蒋桃英家要建房了，她儿子开着一条满载着黄沙石子水泥等建筑材料的挂机船，沿河往家开。

前面就是跨在小河上那座兴生桥了，不知怎么的，她儿子那舵把子一下子不听指挥了，扭都扭不过来，刚才还显得很慢的船此时竟快得像离弦之箭，只听见“嘭”的一声巨响，那座桥的桥脚断了，桥面塌到了河里。

这祸可闯大了，桥一断，兴生村村民往来不便了，桥面跨在河面上，还妨碍水上交通。蒋桃英的儿子慌了神。回到家里，他把撞塌桥的事告诉了母亲，蒋桃英也急得六神无主。为了建房竟把人家的桥撞塌了，这可怎么得了啊？

蒋桃英本来就有神经衰弱的毛病，这一急更是寝食不安，吃不香睡不着。自己修吧，不会，赔吧，赔不起，赔了桥，这新房也就泡汤了。第二天，几乎一夜没睡着的蒋桃英想来想去，天一亮就去找村书记常德盛。

来到常德盛那儿，蒋桃英却嗫嚅着竟不好意思说了，她觉得自己太麻烦书记了，买建材找书记，缺钱找书记，书记帮了那么多的忙，自己家做事还这么不顺，闯下这个祸殃。

常德盛看到她一脸憔悴，问出了什么事。蒋桃英只得硬着头皮吞吞吐吐地把她儿子撞坏桥的事告诉了书记。“这下哪能（怎么）办呢？人家一座桥撞断了，真是急煞人了。”

常德盛书记一听，也急了，他连忙问：“人有没有受伤，断桥时桥上有没有人？”

蒋桃英说：“没有人受伤，船也没有压沉，上面的建材没有问题。”

“你不要急，”常书记舒了口气，“你有神经衰弱，你不要急。断了桥，你赔也赔不起，我来解决。”

在安慰了蒋桃英一番后，常德盛开始想具体的解决办法，他问蒋桃英在兴生村有没有认得的人，准备陪她一起去兴生村商量解决办法。

“你儿子不是刚结婚吗，回家拿些喜糖，跟我去兴生村。”常德盛对她说。

到了兴生村，正是中午时分，常德盛约村里的几个干部到镇上饭店吃饭，边吃边与他们商量修断桥的事情，蒋桃英根据书记的安排，抓出一大把喜糖塞给兴生村的几个人，这喜糖一发，缓和了气氛。

在对方村干部面前，常书记真诚地代表村里向他们赔礼道歉，表示一定要尽快修好那座断桥，兴生村的村支书说：“常书记亲自来，倒让我们不好意思了。修桥，我们要配合好，让村民先绕道。”又是发糖又是劝菜，双方客客气气，气氛非常融洽。

后来，常书记派出村里的力量，花钱买了木料，十多个人忙了两三天，终于修好了那座断桥。为了减轻蒋桃英家的经济负担，常书记没让她掏一分钱。

被撞过的断桥如今连了起来，横跨于河上，两个村的村民也因此连接得更紧了。

蒋阿毛的热泪

蒋阿毛住了几十年的小平房，为了造间像样的房子，他和一些村民一样，鸟衔树枝似的有了点钱就到窑厂拾点砖头堆屋角。

这是中国农村常见的情景，茅草棚边，码着些黄色的砖，砖缝里夹着或枯或青的草。积累建材可是一个漫长过程，蒋阿毛家直到 1982 年还没凑齐翻盖房子的木头、黄沙、水泥、石灰。这时村里许多人家都开始翻盖房子了。

常书记叫他也把泥屋拆了重砌瓦房，在书记帮助下，蒋阿毛开始建新房了。到 1982 年 5 月底，一所楼房建成了，农民家的砖瓦大多是从嘴里抠出来的，为了省钱翻房，蒋阿毛熬出了胃病，疼得不行。

蒋阿毛是个要强的汉子，他强忍着疼痛，坚持下地。他也想到任阳医院去看一下，但一想到家里刚建房，有一屁股债，就不敢动这个念头，哪来闲钱呀?

撑到 6 月初，他疼得直不起腰来，像有把刀在里面剜一样。书记知道了，赶到他家看望。要他无论如何都要去任阳医院看病。

书记对阿毛说 ：“你放心，我陪你去，你不要怕！”

书记陪他去了任阳医院，办好入院手续后，医生说要开刀。蒋阿毛想到好好的肚子上要划上一刀，心里很担心。

一边常书记在跟医生提要求 ：“这是我们大队的生产队长，麻烦你们要开好，刀疤也不要太长呀！药尽管用，钱不要紧，我担保。”

转过身，常书记又对阿毛说 ：“不要怕，动手术时我来看你。”

蒋阿毛在医院住下了，常书记专门到城里大医院去请专家到任阳医院会诊和动手术。

手术定在6月6号，这日子蒋阿毛记得清清楚楚的。

那天5点多钟，常书记赶到任阳医院看望蒋阿毛。

蒋阿毛由于胃疼加紧张夜里也没好好睡，快天亮时倒睡着了。书记来到他的病床前时还没醒。等他醒过来时，医生告诉他说：“你们书记一早来过了，见你没醒，就去任阳汽车站接城里来的外科医生了。”

蒋阿毛开刀那天，常书记一直守候在手术室外，手术做完之后，当一个医生从手术室走出来时，他连忙上前了解手术情况，医生对他说：“手术很顺利，没问题，常书记放心。”书记这才赶回村里去忙了。

这之后的十多天里，书记每天和妻子俞秀英一起到医院看阿毛，还时不时拎点吃的用的过来。

可真是祸不单行，阿毛自己的胃病没好彻底，那年的9月3号，阿毛9岁的女儿也突然肚子疼得直哭。阿毛不敢怠慢，连夜送小孩子去任阳医院，可孩子在医院住了一个星期高烧还是没退，天天喊肚子疼。

蒋巷村村民有个习惯，有什么解决不了的难事都会去找书记，阿毛上回为自己的事烦了书记，本来也不好意思再麻烦书记，可是为了女儿，他不得已又去找书记。

“小孩肚子疼，你哪能拖一个星期才来找我呀？”常书记责怪了阿毛几句后，连忙给常熟一院的护士陈小妹打电话，这陈小妹原是蒋巷四队社员，嫁出去后在常熟一院当护士。电话里，常书记对她说：“小妹啊，阿毛的小孩肚子疼得厉害，要到一院来检查。你先跟医生说一声，小孩随后就来。”

说完之后，常书记又马上打电话让村上的司机赶快到阿毛家去送阿毛女儿进城看病。

真是不查不知道，一查吓一跳，检查发现孩子患的是盲肠炎，已经化了一肚子脓，急需开刀。阿毛愁了，家里翻房子，自己又开刀住院那么久，手头已经分文没有了。但救孩子要紧哪，阿毛托司机捎信回家，让他母亲去找书记借 500 元钱。他母亲听说孙女病重，急得连忙去书记家借钱。书记拿出 500 元钱对阿毛母亲说：“这点钱让阿毛先用，过后还得要钱的，我再来解决。”

孩子开刀一个星期后，也没有通大小便，医生对阿毛说：“你拖得太晚了，现在肠子不通，小孩就有 80% 的危险。”阿毛急得整天坐立不安，这期间书记再忙也是一天一个电话问情况。一个周后，小孩排解了大便，医生高兴地对阿毛说：“你可以放心了。打个电话给你们书记吧，他比你还要急呢！”

孩子出院时，也是村里秋收大忙即将开始的时候，阿毛没有精神负担，一心一意地准备秋收。一天他把两把镰刀磨得锋快，就放在屋里灶头下边，村里开完秋收动员会后，他回家吃午饭，妻子徐凤金对他说饭没好呢，锅里有碗山芋汤，你先吃吧，这时他想到猪还没喂，转身去拿猪食桶，谁知一脚踩在锋利的镰刀刃上，套鞋袜子都被划穿，右脚后跟划了道五六寸长、三指深的口子，到医院时，村里的赤脚医生都不敢动手了，书记叫一队派人开机帆船把他送到任阳医院，共缝了 28 针。

又给书记添了不少麻烦，书记抽空来家看他，还给了救济金。那年，蒋阿毛也没能好好出工，但是每月的工资村里没少他。

“书记当我是工伤处理了。”阿毛感激地说。

“书记是我们一家的恩人，我和女儿要不是有书记早就死翘翘了，现在，我在企业做后勤科长，我老伴徐凤金只在村里的两段路上扫扫地，也拿到 8000 元。夫妻两人年收入 50000 元，这日子真没说的，家里用的是红木家具，光电视就有 3 台，有台液晶电视，值 1 万多哩！”

“红娘伯伯”

蒋巷村第四村民小组，有个小青年，因为个头小，大家都叫他小卫清。小卫清21岁那年，和他差不多年纪的都找到了对象，有的甚至结婚生育，可他仍然出门一个人，进门伴着影。有的人戏谑他“天天想娘子，夜夜一个子”。小卫清也埋怨自己“找不着老婆，谈不上对象”，真没用！小卫清父母看在眼里，急在心里。四处张罗，托媒说亲。当一个个媒人带着姑娘来相亲后，都嫌他人小个子矮，还有轻微眼疾，没说上几句话就打道回府，另寻高配。这件事不知怎么就传到了常德盛的耳朵里，他就一边忙于村里的工作，一边四处打听为小卫清寻找对象。有一天，有人捎口信给小卫清，说书记找他。小卫清心里一个大“咯噔”：会不会我做错了什么事情，书记要当面批评教育我？只好忐忑不安地去找书记。常德盛看见小卫清急得满头是汗，就朝他笑笑，拍了一下他的肩膀，把他拉到了身边，笑嘻嘻地说：“小卫清，伯伯想吃你喜糖，我来做个媒人，好不好？”小卫清一听书记伯伯帮他做大媒，悬着的一颗心总算落下来了，可又有些不好意思，站在那里手足无措，激动得一时不知道说什么好。常德盛把姑娘的情况做了介绍，要他好好想一想，行不行给一个回音。过了几天，常德盛真的领着小卫清去见了面，后来又特意安排他俩到城里玩。当双方有了一定好感，并着手商议定亲之时，出现了歪嘴媒人在背后使鬼的小插曲，姑娘一连几天未去见小卫清，小卫清找上门，女方则躲着不照面，还叫人捎话：到此为止，拜拜！此时，小卫清父母兄嫂正在张罗定亲的事情，一听这个消息，全家都很为难。小卫清还偷偷地大哭了一场。这天晚上，常德盛夫妇一路上有说有笑来到小卫清家，看见全家人围着饭桌，都8点多了还没吃晚饭。常德盛笑嘻嘻地劝说快点吃晚饭，小卫清的事我知道啰，等你们吃过晚饭再说。全家人不知道常书记的葫芦里卖的什么药，就稀里糊涂地打发了这顿晚餐。常书记这才开口说："今天我看见小卫清在姑娘宿舍门口等了很长时间，姑娘不肯开门，小卫清来的时候看上去不大开心。我就去找姑娘谈了，姑娘讲了有几个媒人也来替她做反宣传，说小卫清人不精明，长得也不好看，到那种人家还不好吃饭。我听了又气又好笑，对她讲你不要脱眼，你年纪轻，人家在骗你，他们做媒人做疯了，做不成就给你胡说八道。蒋巷村无论哪一家的情况，我最清楚，哪一个人的性格我全知道。这么好吃饭的人家你不嫁，你还想嫁给谁家。姑娘听了我的话后，犹豫了半天，我又启发开导她，才表示听我说话，讲完，嘿嘿嘿地笑了两声。全家人听了，那高兴劲无法形容，特别是小卫清更是激动得说不出话来。小卫清父母握着书记夫妇的手，感动得只会说谢谢、谢谢。"

现在他们的女儿已经小学毕业了，只要想起这件事，两人只会相对而笑，不由自主地说：这事多亏了"红娘伯伯"！

金雨花终于圆了 25 年前的梦

1967 年 7 月，骄阳似火，酷暑难耐，中午，只有蔫萎的柳梢上偶然传来几声有气无力的蝉鸣。这时，一位颀长身材的年轻妇女走进了牛棚，"嘟！嘟！嘟！"，她添喂了两箩牛料后立即开始铡料。那铡料刀在她手里得心应手，铿锵有声，匍匐在附近的老牛，悠闲地甩着牛尾，嘴巴一闭一合，仿佛在对妇女说："雨花雨花，咱吃饱啦。"这位叫雨花的妇女其实只是代理牛倌，真正的牛倌是她丈夫毛小金，两天前就开船去上海为生产队装运化肥了。雨花干活也不含糊，代替丈夫铡料喂牛也是经常的事。

下午 4 点光景，雨花已铡了满满三箩牛料后打扫牛棚时，看见掉在地上的小手枪，这才想起自己6岁的儿子小丙元。金雨花和毛小金夫妇30多岁，生有一男一女，男孩毛丙元6岁，女孩毛丙英4岁。天气热，毛丙英被安排在仓库边树荫下，由姥姥看管着，男孩丙元很顽皮，成天赤裸着身子像泥鳅一样，皮肤晒得乌黑闪亮，又活泼又可爱。不过，在外面玩了一会儿，就会进牛棚来，或喝口水，或逗老牛玩。可是今天已是下午4点半了，还没有看到丙元的身影，雨花心里着急了，打听了几个人，都说没有看见。这时，常书记刚好从任阳镇上开会回来，闻听此事，一方面安慰雨花，另一方面派人四处寻找，甚至动用任阳镇有线广播。下午6时，常书记召集几名青年，瞒着雨花家人专门划船用竹竿往河塘里搜捞，大约傍晚8点光景，小丙元终于从河里捞起，但已气绝身亡了。

噩耗传来，犹如晴天霹雳，常书记怕金雨花遭受打击，一下子精神上受不了，特地委托几名妇女围着雨花婉言开导，并让赤脚医生等候在附近随时待命，以防雨花万一经受不住打击晕过去。由于措施到位，等到雨花完全知晓儿子死讯后，虽然悲哀但压力已逐渐释放出来，并没有引起大的波澜，只是哽咽着对常书记说："我要申请生一个男孩。"在农村，一般都喜欢男孩，可以承接香火，只是碍于当时的政策，常书记听后，说："好的，你的申请暂时压一压，如果今后政策允许的话，全村第一个批准生二胎的就是你！"

常书记又让蒋某连夜赶到上海把她丈夫毛小金替换回来，临行时，常书记又再三叮嘱蒋某，要求他表现得尽量自然、宽松一点，编一个善意的谎言，就说丙元生病了，家里需要照顾，防备万一小金受不住打击，病倒在上海，岂不雪上加霜！

丧子的痛楚使金雨花夫妇整天处于昏昏沉沉之中，所以毛丙元的丧事都是常书记带领村民帮助操办的。只是常书记感到雨花要求生二胎的事，因为国家政策的问题没有办到，一直有些负疚。直到25年后的1992年，国家对计划生育政策有了新的调整，于是常书记吩咐妇联干部去咨询一下：像金雨花家的情况，能否生二胎？当获悉能够时，高兴得忙通知金家："这一下你可以抱孙子了！"原来金雨花女儿毛丙英婚后生的还是女孩，金雨花知道国策难违，所以想抱孙子的想法只得压在心底，不想去为难常书记。今天，常书记登门报送喜讯，禁不住喜出望外！于是就将25年前的申请改换了女婿和女儿丙英的名字后递了上去。终于圆了自己抱孙子的梦。金雨花高兴地说："常书记处处为老百姓着想，这本是一件小事，却挂在心上25年，他真是我们的好书记呀！"

常书记给我一个完整的家

今年55岁的村民蔡雪元小时候很苦，6岁时母亲就过世了，他的父亲又害了血吸虫病，瘦得皮包骨，挺着个肚子比孕妇还大，不久，他父亲也"坏掉"了。这个穷得一无所有的家没给蔡雪元留下任何遗产，相反还欠了人家一笔债。蔡雪元靠在外帮忙干活，挣钱糊口还债。

到他22岁那年，终于还清了债，还在任阳街上租了间20平方米的公房，讨了个上海知青做老婆，但家里只有一张桌子、一张床，除此之外一无所有。有了个男孩之后，家里更穷了，老婆在孩子8岁那年与他离了婚。

单身拖个孩子，觉得没有奔头的蔡雪元很消沉，也不大愿意接活做，有一顿没一顿地混着，有人看他日子实在太苦，会送些米面给他，但要强的他又不要。

蔡雪元虽然住在街上，但他是蒋巷村人，户口在蒋巷。

1992年的一天，蔡雪元正闷头在任阳街上朝东走，突然听到：

“雪元、雪元……”有人在喊他，回头一看，是村里的常书记，常书记加快步子赶上去，关切地问长问短。问他生活上的情况，书记反复关照他说：“再穷也不能混日子呀！要想办法找事做，挣钱把日子过下去。”

蔡雪元对书记说他打算买辆拖拉机帮村里拉拉东西，赚点钱，常德盛说：“好的，村里运输活计不少，你买了拖拉机就帮村里拉拉东西吧。”

从此蔡雪元开着拖拉机为村里进货送货，村里修路也让他开着拖拉机运送水泥石子。赚了钱他也不舍得花，省着要买房子。

手里有了三四万元钱之后，蔡雪元就想房子了。看了几处二手房，觉得房子不好，又比较贵。一次他在常德盛面前提到买房，常德盛问他：“你看我家的房子值几个钱？”

蔡雪元说：“要是钱不多，我要的。”常德盛说，卖人家8万，卖你7万5。”蔡雪元花75000元把常书记的房子买了下来。可是谁知道过了几天，常德盛又送来1万元。蔡雪元花65000元就将书记家三上三下的房子买去了，2008年蔡雪元又重新娶了个妻子。现在两口子和和美美地过得十分舒心。

村民说：“你蔡雪元做得出，书记的房子少说也值十二三万，你不过出了一半的钱。”

“晓得，晓得，书记帮我呢！”蔡雪元说。

书记现住在村外一套平房里。他和儿子都没占村里一套别墅。

决不让一个村民掉队

孙启华是蒋巷村十四组人，21岁亡母，24岁丧父。他父亲去世前，孙启华娶了苏北女子吉连珍。吉连珍先前在米厂做运输工，后因脾脏动手术体质明显下降在家待业。

那天孙启华在任阳镇上跟泥瓦匠做零工收工后刚回到家，就被人叫走鬼使神差地一起去生产队仓库扛走一台手扶拖拉机的机头。未过一星期东窗事发，主犯被判刑，作为从犯的他被劳教半年。

这件事对吉连珍的打击很大，丈夫被关，社会舆论沸沸扬扬，体弱多病的她难以承受而精神失常。刚生下的一个孩子她撒手不管，整日胡言乱语。

半年后孙启华从看守所出来，面对蓬头垢面、精神恍惚的妻子，心顿时凉了半截。生活对他来说，已酿成一杯苦酒。他整日闷闷不乐，不想做事、干活，只要身边有钱就去喝酒，常常喝得酩酊大醉，不省人事。

常德盛一直关注着孙启华一家。这天晚上，他早早地吃了晚饭，推开了孙启华的家门。见吉连珍抱着幼小的孩子在吃饭，饭桌上仅一只青菜碗，便问："小孙在家吗？"

吉连珍仿佛没有听到一样，依然喂饭。

常德盛知道问不出结果，但坐着不走，心想这孙启华究竟去干什么了？不管怎么样，非等到小孙回来后才走。此时的时钟似乎走得特别缓慢。同室是个言语不可交流、看上去又是心酸的女子，周围的一切很乱，脏衣服到处堆放，地上灰尘一层……

好不容易等到 10 时许，孙启华才推开家门，带着满身的酒气回来了。此时吉连珍已经睡去，常德盛独自守在一盏灯火下。孙启华一见常书记，就明白了眼下的一切。

"我……我去给你倒碗水……"孙启华嗫嚅着。可他晃动了几下热水瓶，里面分明是空的，又赶忙走到土灶前准备烧开水，被常德盛拦住："别忙，我等你并不想喝你的开水，你给我坐下来听我说两句话。"

孙启华满脸愧疚地在一张板凳上坐下来，准备接受常书记的训斥。可常书记没有板面孔，而是说："其实是向你提两个问题：一、你究竟要不要这个家了？二、家里弄成现在这样的状况究竟是谁造成的？一个年轻人是不是应该回避责任？我今晚不多说了，已经很晚了，请你好好地思考思考，我明天下午再来听你的回答。"说完起身告辞。

孙启华这晚心潮起伏，辗转难眠，常书记工作这么忙，又这么辛苦，却在他家等他大半夜。自己一家多年来一直得到常书记的关心。由于父母双亲多病，工分挣得少，连年透支，是常书记经常将政府补助送上门，父母亲相继去世的年头，自己刚踏上社会，又没有经济能力，是常书记帮助料理丧事的，吉连珍这门亲事，也是常书记亲自上门当说客才成功的，才使自己有了这个家……可自己没有好好珍惜，糊里糊涂地做了蠢事，让年轻的妻子受到刺激，患了这个难以医治的病，自己从看守所出来后，丧失了生活的信心，让妻子的病雪上加霜……他越想越对不起妻子，越想越对不起常书记对他的关爱，"呜呜呜"地在被子里哭开了。

次日下午常书记如期赴约。孙启华端出一碗煮得稀烂稠糊的米粥让常书记喝。蒋巷村每个村民都知道，当年常书记带领全村人民大搞水利建设，吃饭经常误时，患下了严重的胃病，故村里不少人家时常煮了米粥让他填肚。平日里，常书记是从不吃请的，随便你家有什么大喜事请他喝酒他都一概回绝，唯独村民们为他准备的米粥，他是欣然接受的。今天常书记没有马上喝孙启华端出的那碗热气腾腾的米粥，说："你回答了我昨天的问话后，这粥我才喝得下去，喝下去后心中才踏实。"

孙启华愣呆呆地站着，不知说什么才好，许久才说："常书记，我错了……"

"错在什么地方呢？"常书记紧追不舍。

"我不应该对生活丧失信心，我对不起妻子，也对不起你常书记长期以来对我家的关心和照顾……”

常书记见孙启华有所觉醒，便耐心地开导他：“……像你这样的年轻人，生活的道路才刚刚开始，有点小挫折是难免的，往前走有的是阳光和鲜花。不仅要增强生活的自信心，更要对社会、对家庭负起责任来……”

“常书记，你的话千真万确，今后我一定听你的……这粥快凉了，你快些喝吧！”

常德盛朝他笑笑，说：“有你这句话，我就放心了，不过，这几天你必须拿出打算来。”

“我一定会认真考虑。”此时的孙启华神情严肃，若有所思。

事隔两天，村里召开共同致富恳谈会，常德盛把孙启华请去。原来这几年蒋巷村农副工三业经济发展，在省里、市里的大小会议到处捧奖杯，但仍有部分特殊户还处在贫困线以下。常德盛下决心通过一两年的时间，让全村所有成年村民，宜工则工，宜农则农，宜副则副，宜商则商，都走上富裕的道路。他在会上说：“这几年我们蒋巷村成了市里、省里的先进村，多数村民富了，可是少数村民还没有富起来。今天，我请来了几位村里的致富典型向大家传经送宝，也请其他的同志一起来共商致富大计。你们有什么想法，尽管提出来，村里能支持的，只要不违反政策，定会坚决支持。共产党有个老传统，不让一个人掉队，过去打仗是这样，现在致富奔小康也是这样……”

小孙听得入了神，连烟火快烫手指了也未发觉。

会议开得十分热烈，发言的人一个接着一个。

“小孙，说说你的打算吧。”孙启华正在想自己的事，常书记却要他表态了。

“我……我还没有想好呢！”

“我倒是给你想到了适合你那个家庭的致富门道。你妻子身体不太好，平时家里需要人手做个饭烧壶水什么的。让你进厂就顾不了家，让你承包几十亩地，一个人肯定忙不过来。我看你当个养猪专业户吧，那样既可顾家又可养好猪，理家致富两不误。怎么样？”

小孙一听，觉得常书记指的道正合自己的心意，可细细一想又有些担心，便斗胆说：“这养猪好是好，就是搭猪棚、买猪崽都要花钱，自己又没钱，养了猪还得找门路卖出去，我又不行……”

“这个嘛——搭棚和买猪崽的钱村里给你垫上，饲料供应和日后卖猪的事，包在我身上好了。小孙啊，你只管好好养猪，同时还要照看好妻子。日后成功了，我在大会上表扬你；如果失败了，我帮你总结教训，好吗？”

“好！好！”似吃了一粒定心丸，孙启华顿时踏实多了，心中暖洋洋的。

第二天，孙启华到村财务部那里借了3000元钱，在自家的责任田里搭了4间猪棚，又去街上捉了60只小猪，开始步入了他的专业养猪生涯。

从此，常德盛也成了小孙的养猪顾问，遇上小猪生病，生长期间吃什么饲料等技术性问题，小孙就向常书记讨教。常书记总是有问必答，有求必应。他还为小孙出售第一批肉猪，跟镇食品站和“小刀手”联系，帮助他打开市场销路。这年小孙获得开门红，售出120头猪，获净利8000元，喜得小两口梦里笑出声，连吉连珍的病也明显好转了。

第二年，孙启华扩大经营规模。常书记帮他批了一亩地，让村里借给他6000元钱，又帮他到银行贷款6000元，于下半年扩建8间猪棚，还买了粉碎机生产饲料。这年，共出栏肉猪450头，净获利润2万元。

那年风传“5号病”，猪价暴跌，小孙圈养500头猪亏了10万元。在这关键时刻，常德盛带去了村里给小孙的3000元补助金，鼓励说："小孙啊，在这困难时期一定要挺住。这'5号病'不会长久存在的，现在人的生活水平提高了，肉仍是荤菜中最基本的品种。"不久，小孙在常书记的支持下，又捉了500头小猪，果然到出售时猪价全面回升，小孙又赚回10万元。紧接着，小孙把猪棚扩建至82间，雇了5名员工，俨然当起了小老板。自己负责饲料采购、市场销售，妻子吉连珍负责内部管理和账务。这年出售肉猪2000头，获利20万元。

小孙清楚地记得2001年6月24日，整整一夜的大暴雨将大片田地变成泱泱泽国，他家的猪棚全部进水，1500头圈存猪在水中慌乱地游泳。这猪是不能在水中多泡的，他急得浑身是汗。然而正当他束手无策时，常书记带了厂里的20多名员工赶来了，他一边指挥大伙在猪棚四周挖泥筑坝，一边又安慰小孙和他的妻子。不一会儿，坝筑好后，他又让人扛来水泵，至中午时分猪棚里的水被全部抽干。1500头猪获救了，40多万元的资金未受损失。孙启华看着赤脚挽裤腿满是泥浆斑驳的常书记，感动得一句话都说不出来。吉连珍招呼大伙去小饭店吃饭，常书记笑着说："免了，免了！"

2007年，正当孙启华的事业和家庭蒸蒸日上的时候，不幸的事情发生了，他19岁的女儿经确诊得了白血病。夫妻俩像丢了魂似的。最无助的时候，小孙第一个想到的是常书记，他立马打电话给书记，书记宽慰小孙说："别急，现代医学水平很高，积极地医治不会有太大问题的。"听了常书记的话，小孙夫妻俩带着女儿去上海瑞金医院就医，可小孙着实对猪场不放心，情急之下，再一次打电话给常书记。常书记电话里说："小孙，放心地在上海给女儿医病，家里的事你放心，我老常会帮你盯着的。"小孙的女儿在上海做了5次化疗，又去北京做了干细胞移植手术。几个月后小孙一家回到家，小孙的姐姐告诉弟弟，书记每天雷打不动地两次去猪场了解情况，指挥猪场的工人生产和管理。小孙那个感动啊，当场掉泪了，他清晰地记得，常书记还专门抽出时间去上海医院探望他的女儿，鼓励孩子要坚强地配合医生治疗，还偷偷塞了几百块钱给孩子。

在今年6月1日记者采访村民的座谈会上，小孙再次讲述了整个故事，他动情地说："常书记来上海看望我的女儿，给的钱虽然不多，但意义重大，这分明是对我一家最大的精神支持。现在我是任阳地区最大的养猪专业户，达到了年出栏5000头猪的养殖规模，可我这一路上都是书记在关心和支撑着我，不管是思想上、事业上、生活上，都是书记在照顾着我。村民觉得有什么事都可以找书记，其实大家都知道书记每天起早贪黑，很辛苦，我们都很心疼，都不好意思，可就是长期以来习惯了。"小孙眼里闪着泪光，他把内心最真实的感受告诉记者："去年春节，天气很冷很冷，却看见我们书记站在寒风中视察田块，做良田规划，我跟我老婆说，书记怎么这么不疼惜自己的身体，我看到书记都冻得发抖了，突然间觉得站在寒风中的就是我的父亲，我当时的心里非常酸痛，这种感觉只有在最亲的人之间才会有。"

叫错了哥哥

蒋巷村人在村里遇到比自己小的叫"囡"，遇到比自己大的就叫"阿哥"，蒋阿水的年纪比常德盛大4岁，可他每次见到常德盛时，总是亲热地叫他"德盛哥"。

那时，"德盛哥"是大队长，为了改变村里的低田"小雨水汪汪、大雨白茫茫"的状况，常大队长组织全村劳力挑泥填浜，改造农田，"德盛哥"没日没夜地干，眼睛一睁，忙到熄灯，蒋阿水的说法是："常书记早上上班要点灯，夜里落班也要点灯。"那副泥担子成天不离肩。

繁重的劳动和没有多少油星子的粗茶淡饭，累坏了常德盛，他得了胃下垂，人显得又瘦又老，看上去比实际年龄大多了。在蒋阿水的眼里，常德盛的年纪要比自己大不少呢。所以他一直叫常德盛"德盛哥"。

"德盛哥"作为大队干部，自然知道蒋阿水的年龄，有一天黄昏时分，两个满腿泥的哥们撂下担子回家吃晚饭。路上，蒋阿水揉揉肩说："德盛哥，今晚歇一歇吧。"

"好的，你今夜好好困一觉，明朝还是不饶你。"常德盛说。

"咦，阿水啊，你哪能（怎么）一直叫我德盛哥呢，你比我大好几岁呢"常德盛忽然想起这个问题。

这话说得蒋阿水有点不好意思了，他想说"你看上去比我老不少呢"，又怕常德盛不高兴，只好尴尬地笑了笑说："我知道了，德盛哥。"

"还德盛哥呀？"常德盛笑着说。

"知道了，真知道了，大队长！"

"不要大队长了，你少喊个字就行了，'德盛'。"

从此，蒋阿水不再叫常德盛"德盛哥"了，但是在心里，他直到现在也一直把比自己小 4 岁的常德盛当成自己的兄长。

常德盛也真像个兄长那样关心蒋阿水。

1982 年，蒋阿水家把泥草房扒掉准备砌三间瓦房，当常书记知道他仍是造平房时，就赶上门对他说："阿水啊，造楼房吧。"

"造不起呀！"蒋阿水说。

"我来帮你。"书记说。

但阿水还是造了三间平房，花了 3500 元钱。

建房过程中，常书记反复关照阿水的家人说："不要让阿水做事，他身体不好，缺小工我去叫人。”

后来，房子造好了，常德盛书记又对他说：“阿水，有啥困难跟我讲。”有时，他还主动为阿水买点有营养的东西拎到阿水家。

“现在好了，”阿水说，“儿子在村里有了别墅，媳妇讨好，孙女养好，我没想到有今天。想当年，书记自己住的是草屋，却为社员一家家造了瓦房，直到现在，书记也不占村里的一块砖，这村里家家户户住别墅，老人都住在老年公寓里。我们都改善了，书记住的仍然是多少年前在任阳街上造的那两间平房，房子样式还不如我们呢！想想真有点过意不去。”

抱着亡者照相

1980年一个深秋的下午，常德盛匆匆走进乡政府办公室，人未进门，就急匆匆地对唐秘书说：“请你跟我跑一趟吧！老队长快要不行了！”

这位老队长，担任生产队长已经十几年了，为人忠厚老实，心全扑到了集体上。近几年，他的身体一直不好，但因为家里很穷，只好小病拖，大病熬，越熬越严重。这次，实在是熬不过去了。常德盛闻讯，急忙来到他的病床前，对他说：“老队长，不能再熬啦，我送你到医院去吧！”

老队长只是摇头：“我的病我知道，不必再上医院了。人总要死的……”

“老队长，你不要想得太多。有什么事要我办的，我立马就去，有什么话要交代，请尽管对我说。”常德盛强忍着热泪，安慰老人。

“我这个队长，没什么本事，对不起大家，穷帽子摘不掉呀！”老人哽咽了好久，又长长地叹了口气，“昨天，老太婆哭着埋怨我，一直不肯花钱照张相，我——我什么都没能给她留下呀……”

在生活很贫困的老队长看来，拍照片是件很奢侈的事。他整天闷着头领着大家干活，总想着有一天能余出拍张照片的闲钱来。可是阎王爷等不及了，就要带他走，就要让他给老伴留下这个终身遗憾。

常德盛心里一阵咯噔，顿时冒出一句话来：“老队长，你等着，我立马就去请照相的师傅来！”

他一口气赶到任阳镇。

镇上有一家小照相馆，可常德盛刚说明来意，对方的头就摇得像拨浪鼓一样：“你请我拍照也不挑个日子，天上刚下过雨，这七里长的烂泥路你让我怎么走？万一跌坏了照相机怎么办？再说，你能保证你们村那个人在我赶去之前还没死？让我为快死的人照相，我可坚决不干啊，要触霉头的！”

常德盛好话都说尽了，人家就是不肯，他一筹莫展，最后终于想到了公社的唐秘书。

唐秘书也是个好人，见常德盛为了了却一个将死者的心愿，竟如此着急，心中非常感动，当即只说了一个字：“走！”

当他们好不容易走到村口时，就听到了一片哭声。不用说，老队长已经去世了。

老队长的遗体停在客厅中，这里摆了个简单的灵台，亲人们正在号啕痛哭。常德盛对死者的家属耳语了几句，接着就忙碌起来。

人已去世，照片怎么拍呢？唐秘书犯起难来。只见常德盛走上前去，亲手用热毛巾焐开老队长紧闭的眼睛，接着又抱起老队长的遗体，用自己的身体撑住，让唐秘书选了个最好的角度，拍下了一张不同寻常的照片。

老唐口袋里的《常德盛故事集》是他自己编录的，现在已经有近百篇了。其内容看起来似乎都是些常德盛与村民间的日常生活事，然而正是这些形似“家长里短”的百姓小事中，我们看到了一位实实在在、几十年如一日地为百姓办好事的村支书形象，看到了一位载德于心、心系民众的优秀共产党人形象。

一个人做点好事并不难，难的是一辈子做好事。一个掌握了权力，有了一人之下、万人之上的地位后，能够继续具有高尚道德标准的人才是真正的共产党人。

常德盛属于这样的人。他为百姓做好事、办实事，一辈子如此，他在任何时候始终保持大公无私、严于律已、一身清廉。

我听说了这样的事：20 世纪 80 年代时，蒋巷村刚进入小康生活时，全村人都搬进了小洋房，常德盛一家并没有搬新房，而是在老宅基上翻新房时，因为包工师傅看到常家买的木料长了一截，便干脆将一间房子做长了一些。常德盛得知后，立即回家让工匠把长出一截的房梁锯下，并对妻子说：村级干部宅基不得超过 125 平方米是上级的规定，我不能超标。就这样，常德盛一家住了十几年的“锯梁房”，而他的村民们则早已住进了二三百平方米的新别墅。

我听说了这样的事：过上好日子的蒋巷村老年人能够一年一度地享受“坐飞机”“坐软卧”出去旅游的好事情，而与常德盛同甘共苦几十年的妻子俞秀英则无缘与丈夫到一次杭州游西湖。“忙，太忙了。等明年再说吧。”常德盛不是个无情无义的人，但为了让全村人早日富裕起来，他只能在妻子面前说这样的话。岂不知，妻子俞秀英当年是个上海女知青，屈嫁给“乡下人”常德盛时，她提出要常家给买件毛线衣，常家没有办到，在结婚成家 10 年后，她向丈夫提出补张婚照，一等又是整 10 年……

妻子从此不再向丈夫提任何条件，只希望他有个好身体，能在家里多待些时光，偏偏长年累月操劳的丈夫留给妻子的是一个半病半残的身子和早出晚归了大半辈子的不平凡岁月。

我当然更听说了这样的事：在统一按照上级精神，将集体企业实行转制过程中，由常德盛一手创业而强盛起来的“常盛集团”在改制转为股份公司时，常德盛原本完全可以成为最大的受益者，然而他不仅放弃了可以继续掌控上亿元资产的董事长职位，而且连奖励给他的1000多万股份也全部送给了村级集体。

我还从村财务那里查过常德盛当了“常盛集团”老总和村支书双重身份后每年实际拿到手的工资与奖金。按照规定，常德盛的工资与奖金合二为一，都是按上一级的镇政府批准数发放。我们可以从下面这份表中看到他十几年间全部的收入和贡献（金额单位为元）——

年度	上级批准数	实领数	少得数
1993	37056	15056	22000
1994	73000	30000	43000
1995	78052	38252	39800
1996	156851	50000	106851
1997	162555	56000	106555
1998	163411	59000	104411
1999	157441	66000	91441
2000	169383	79000	90383
2001	192632	102688	89944
2002	286760	120000	166760
2003	407018	120000	287018
2004	233895	120000	113895
2005	232445	150000	82445
合计	2350499	1005996	1344503

上面的13年间，常德盛作为村书记，身兼“常盛集团”董事长之职，他实际共少拿134万多元工资奖金，少拿部分全部用到了本村的村民身上。

2006～2009年，“常盛集团”转制后，常德盛只担任村党委书记，这4年中他拿的工资奖金分别是60611元、80411元、81800元、83800元，平均每年为76655.5元。

上面的这些数目，也许对一些普通的农村干部来说，可能并不算少，然而在一个年创十几亿产值、四五千万税收的蒋巷村来说，作为当家人的常德盛所拿的报酬是绝对的低水平，相比于同等水平的地方，常德盛其实拿的工资奖金还不到十分之一。

然而在蒋巷村的百姓心目中，则有常德盛另外的许多“个人账目”：

2008年5月12日，一场浩劫降临在四川大地上，汶川特大地震发生了，电视等媒体上播报的严重灾情画面，揪痛了每一个华夏儿女的心。在蒋巷村村委会小楼的二楼财务室里，老会计张明华像往常一样紧张而忙碌地工作着。常书记急匆匆地走进来，说：“明华，我写了张借条，帮我开张支票。我要交一万元的特殊党费给汶川，钱从我的工资里扣。”老会计张明华对于这样的事已经很熟悉了。他小心地收好借条，熟练地开了支票，双手递给了常书记。几天后，蒋巷村举行了一次向汶川灾区捐款的活动。村民纷纷慷慨解囊，为汶川的灾民们献上一份爱心。前几天，常书记已经交过了一次特殊党费。在这次捐款中，他又主动捐出了1万元。

1998年长江流域发生特大洪涝灾害，常德盛在电视里看到灾情画面，辗转反侧，坐立难安。他跟妻子商量，一定要捐款表达自己的关切之意。可家里刚刚盖好房子，也没多少闲钱，怎么办呢。夫妻两人一合计，救灾如救火，把手头上刚借来装修房子的

20000 元钱先捐出去。

这是村财务会计把知道的常书记的个人捐款列成的清单：

1998 年向长江洪涝灾害捐款 20000 元；

2005 年向常熟市慈善基金会捐款 60000 元；

2008 年向四川汶川地震捐款 10000 元，特殊党费 10000 元；

2009 年向台湾风灾捐款 2000 元。

多年来，常德盛的心里不仅装着村里的每一位村民，也装着许许多多需要帮助的人们。财务人员统计的只是账面上有记录的并数额较大的个人捐款，不包括 44 年来常德盛常年访贫问苦、扶穷助弱的小额捐款。村民们告诉我，其实在蒋巷村，几乎每家每户都得到过常书记的关心和帮助，他坚持"逢病必访、逢丧必访、逢难必访"，其捐助的金额无法统计。要知道，这些捐款都是从他个人收入中拿出来的。另外，常德盛从 2002 年开始，在每年年底的时候都会主动向组织部交上大额党费，近 9 年来他共上缴党费 44600 元。

一个朋友曾对常德盛说："别人工资奖金都照拿，而且还恨不能再弄点外快，你怎么连镇里批准的钱也只拿一部分呢？"

常德盛说："钱有的用就行了，要那么多干什么？党员干部跟群众的收入差距不能拉得太开，差距过大了，党群、干群关系就差了，就缺乏了凝聚力和向心力。"

常德盛是这样说的，也是这样做的。"个人有再多的钱、住再好的房、坐再好的车，也不能算幸福。一个党员干部，如果能够看到自己的百姓家家户户过上好日子，从心底夸奖共产党好，那才叫真正的幸福。"常德盛这样总结自己的人生价值观。

他以自己几十年始终如一的道德，做到了这一点。

载道者，强国富民也。常德盛以其一个优秀共产党人的品德造福了一方水土。今天，所有走进蒋巷村的人，都会惊叹这个

“人间天堂”式的小村庄之美。这美，有江南水乡的自然之美，有百姓从心窝里冒出的幸福之美，更有天地人合一的和谐之美。而这，正是我们党现今所倡导的科学发展指导下的理想之美。

所有这些，我们当然有充分的理由将这样的辉煌成果归功于他常德盛的与时俱进的创新精神和审时度势的开拓精神。他在近几年提出的“旅游旺村”的新思路，并通过依靠工业反哺，先后投资近亿元，开河挖渠、建桥铺路、造楼修亭，借助沙家浜红色旅游的辐射效应，积极开发“田园风光游”、“休闲生态游”、“民俗风情游”等项目，每年吸引游客10多万人次，旅游收入近千万元，成为“全国农业旅游示范点”，实现了经济效益、生态效益和社会效益的互动共赢。

这就是蒋巷村，这就是常德盛。

一个可学、可近的社会主义新农村可爱、可敬的共产党干部。

尾声　德者常盛

一个人，一个干部做点好事不难；一个人，一个干部要永远做好事，做实事就难了，一个人，一个干部要永远地一心为大众着想，为百姓着想、为更高的奋斗目标着想更是难上加难，然而常德盛做到了。人们在遇到挫折和困难时都能信任他，支持他，拥护他和爱戴他，这是因为百姓们相信他常德盛是个有美德的人，是只为他人着想，不为自己谋利的道德高尚的人。

出版说明

何建明先生是中国文坛著名作家，长年坚守在报告文学一线。“非典”、汶川地震、天津大爆炸、利比亚撤侨等重大事件发生时，何建明先生都尽可能出现在第一时间、第一现场，将第一手材料及时地呈现给读者，将中国故事讲深、讲透、讲生动、讲精彩。他强烈的责任感和使命感让人感动，其直面真相、忠于现实的精神令人钦佩，是中国当代报告文学界极有影响力的领军人物。

有感于斯，我社特收录何建明先生近40年创作的报告文学作品，结集为《何建明文集》三十卷出版。这些作品是对时代、社会、自然和人文的记录、呈现与见证，是作者响应时代的召唤，置小我于大我之中，循着时代背景和社会需求而创作的，完整、真实地表现了社会各个层面人物的喜怒哀乐，代表了当代中国纪实文学、非虚构创作的高峰水平，大气磅礴、激情豪迈，极具胸怀和气量。其中多部作品获得鲁迅文学奖、国家图书奖、“五个一工程”奖、徐迟报告文学奖等。

每个时代都有自己的特征，每部作品都有自己的特点。为了全面展示何建明先生历时40年创作内容、使用语言和文学风格的变化，本文集对何先生已发表的所有作品原则上不做修饰和润色，除特殊情况外也不做大的删节和修改，以保证今天的结集出版，仍不失当年作品的激情和味道。